RODRIGO CONSTANTINO

JUDEOFOBIA

MÁSCARA DO ANTISSEMITISMO

RODRIGO CONSTANTINO

JUDEOFOBIA

MÁSCARA DO ANTISSEMITISMO

LVM EDITORA

SÃO PAULO | 2024

Copyright © 2024 – LVM Editora

Os direitos desta edição pertencem à LVM Editora, sediada na
Rua Leopoldo Couto de Magalhães Júnior, 1098, Cj. 46 - Itaim Bibi
04.542-001   São Paulo, SP, Brasil
Telefax: 55 (11) 3704-3782
contato@lvmeditora.com.br

Gerente Editorial | Chiara Ciodarot
Editor-chefe | Marcos Torrigo
Editora assistente | Georgia Kallenbach
Preparação de texto | Alexandre Ramos da Silva
Capa | Mariangela Ghizellini
Diagramação | Décio Lopes

Impresso no Brasil, 2024

Dados Internacionais de Catalogação na Publicação (CIP)
Angélica Ilacqua CRB-8/7057

C774j	Constantino, Rodrigo
	Judeofobia: máscaras do antissemitismo / Rodrigo Constantino. – São Paulo: LVM Editora, 2024.
	264 p.
	ISBN 978-65-5052-161-5
	1. Antissemitismo 2. Judeus – Terrorismo 3. Israel – História I. Título
24-0116	CDD 305.8924

Índices para catálogo sistemático:
1. Antissemitismo

Reservados todos os direitos desta obra.

Proibida a reprodução integral desta edição por qualquer meio ou forma, seja eletrônica ou mecânica, fotocópia, gravação ou qualquer outro meio sem a permissão expressa do editor. A reprodução parcial é permitida, desde que citada a fonte.

Esta editora se empenhou em contatar os responsáveis pelos direitos autorais de todas as imagens e de outros materiais utilizados neste livro. Se porventura for constatada a omissão involuntária na identificação de algum deles, dispomo-nos a efetuar, futuramente, as devidas correções.

SUMÁRIO

9 | Introdução
17 | As Raízes Europeias do Antissemitismo
29 | Bode Expiatório
35 | Perigosa Desumanização
45 | Síndrome de Estocolmo
51 | O ódio a Israel
75 | As Origens da Judeofobia
85 | O Povo do Livro
89 | O Culto ao Multiculturalismo
107 | Não É Questão Territorial
115 | A Maldição de Chamberlain
121 | Hamas Nazista
127 | O Papa Vermelho
135 | Islamofobia
143 | Primavera Árabe
149 | BDS: Boicote Racista
157 | Nazismo de Esquerda
169 | Elon Musk x George Soros
177 | Antissemitismo *Woke*

- 191 | Anão Diplomático
- 225 | O Terror no Brasil
- 231 | Uma Pequena Grande Nação
- 247 | Eu Quero É Paz!
- 251 | Cessem o "cessar-fogo", Diz Thomas Sowell sobre o Oriente Médio
- 255 | Oi, Guga
- 261 | Conclusão

INTRODUÇÃO

"Nunca mais". Essa foi a mensagem não só dos judeus, mas do Ocidente todo após a descoberta das atrocidades do Holocausto. Como foi que o mundo permitiu que algo assim acontecesse? Por que os judeus são utilizados como bodes expiatórios há tanto tempo? De onde vem tanto ódio, tanto preconceito? Qual a ligação entre o antissemitismo e o comunismo ou o esquerdismo radical? Sempre houve esse elo ou ele surgiu agora com a ideologia *woke*[1]?

Essas são algumas das perguntas que ficam em nossa mente após um recrudescimento assustador da judeofobia. Terroristas selvagens do Hamas invadiram Israel no dia 7 de outubro de 2023 e mataram, num só dia, cerca de 1,5 mil pessoas, incluindo crianças, mulheres e idosos. Meninas foram estupradas, muita gente foi torturada, corpos foram mutilados. O grau de barbárie foi indescritível, e quem teve estômago para ver algumas imagens, que o próprio Hamas orgulhosamente ostentava, ficou profundamente chocado.

---

1 *Woke* ("acordado", em inglês) é uma expressão que incorpora ativismos diversos como identitarismo, politicamente correto, disputas raciais, cultura de cancelamento, censura, sinalização de virtude, todos típicos da guerra cultural movida com maior ou menor ênfase por correntes políticas de esquerda. (N. E.)

Não obstante, quando a reação legítima e necessária de Israel começou, logo vimos inúmeras pessoas pedindo um "cessar-fogo", fazendo campanha de demonização de Israel ou até mesmo destilando ódio antissemita abertamente. O Ocidente se viu tomado por manifestantes "pró-palestinos", que no fundo mascaravam muito mal o apoio ao Hamas. Alguns se escondem ainda atrás do antissionismo, mas basta dedicar alguns minutos de reflexão para concluir que de fato detestam os judeus. Por quê?

Tentar explicar isso é crucial se quisermos impedir um novo Holocausto. Os judeus podem ser os primeiros alvos, mas nunca são os únicos. É a civilização ocidental judaico-cristã que está ameaçada. São basicamente três grandes ameaças: o eixo comunista liderado por China e Rússia; o fundamentalismo islâmico; e o globalismo *woke* do próprio Ocidente. Resgatar os pilares da civilização ocidental é uma missão de vida ou morte, portanto. Um Ocidente enfraquecido, amedrontado, culpado e imbuído de uma mentalidade binária de oprimidos e opressores está fadado ao declínio.

No excelente filme alemão *A Onda*, um remake de um filme americano da década de 1980 inspirado em um caso real, há o relato de um experimento social que começa quando um aluno afirma que a Alemanha está livre do nazismo, que aquilo jamais poderia acontecer novamente em seu país. O professor resolve, então, demonstrar de forma um tanto radical que o rapaz estava errado. O resultado é chocante: em pouco tempo se criou um grupo fascista, coletivista, pronto para detonar qualquer um que fosse "de fora", um inimigo em potencial.

Muitos acham que aquele terror jamais poderia acontecer de novo. Infelizmente, estão enganados. Há fascistas por todos os lados, na esquerda e na direita. Os coletivistas intolerantes estão prontos para demonizar algum grupo de fora, utilizado como bode expiatório para todos os males do mundo. O sentimento de pertencimento à "grande família", uma massa coesa e monolítica que anula o indivíduo, atrai sempre os recalcados, inseguros, infelizes e invejosos.

Há claros sinais de recrudescimento da judeofobia no mundo. O ódio a Israel é visível, principalmente nas hostes esquerdistas. Todo cuidado é pouco. É preciso jamais esquecer o que o ser humano foi capaz de fazer naqueles anos sombrios com todo um povo, apenas por ser um determinado povo ou de uma determinada religião. Em tempos em que alguns malucos tentam até negar ou relativizar o Holocausto, ou em que a judeofobia parece estar em alta, é ainda mais importante trazer à memória aqueles acontecimentos terríveis para que nunca mais se repitam.

Estive no Yad Vashem, o Museu do Holocausto em Israel, e é realmente algo tocante. Você mergulha na história de inúmeras vítimas do nazismo; seres humanos, incluindo crianças, tratados como ratos, como animais que precisavam ser exterminados. Que tipo de loucura coletiva leva a isso? Como pode uma nação ser capaz de eliminar por completo a empatia para com o próximo?

É preciso ter em mente as palavras do pastor luterano Martin Niemöller (1892-1984) sobre o silêncio dos bons que permite o avanço dos maus: "Um dia vieram e levaram meu vizinho que era judeu. Como não sou judeu, não me incomodei. No dia seguinte, vieram e levaram meu outro vizinho que era comunista. Como não sou comunista, não me incomodei. No terceiro dia vieram e levaram meu vizinho católico. Como não sou católico, não me incomodei. No quarto dia, vieram e me levaram; já não havia mais ninguém para reclamar".

O ataque aos judeus diz respeito a todos nós. Eles costumam sinalizar quando há algo de muito errado no mundo. Sete décadas atrás se soube em detalhes o que o povo judeu sofreu nas garras dos nazistas. Mas os judeus também sofreram nas garras dos comunistas, os mesmos soviéticos que os libertaram em Auschwitz. E hoje sofrem ataques constantes dos islâmicos, que não toleram sua existência.

Ao término do percurso no Yad Vashem, após todas aquelas imagens chocantes e tristes, há o impacto da luz que emana da floresta de Jerusalém. É para simbolizar a esperança de superação, um futuro melhor. O povo judeu soube colocar isso em prática. É algo contagiante e que deve servir de inspiração para todos. As vítimas não morreram em vão no Holocausto. Com determinação e muito trabalho, a luz pode triunfar sobre as trevas.

Este breve livro, portanto, visa compreender de onde vem o ódio a Israel, mas também apresentar uma defesa do legado ocidental. O relativismo que impede a clareza moral tem sido o grande obstáculo a um diagnóstico mais preciso da situação. As falsas equivalências criadas entre terroristas e vítimas servem ao claro intuito de boicotar qualquer reação das vítimas. A meta é de fato destruir o inimigo, no caso Israel em primeiro lugar, e todo o Ocidente em seguida.

Quem não se deu conta disso está deixando o romantismo turvar a realidade. As ilusões pacifistas são tentadoras, mas perigosas. A análise economicista, que enxerga tudo por uma lente econômica e acha que todo problema se resolve com mais recursos financeiros, ignora o poder das ideologias. É hora de encarar as coisas como elas são, não como gostaríamos que fossem. Se o Ocidente não passar por um despertar agora, nem mesmo depois do massacre de judeus e uma horda de alienados condenando os próprios judeus por isso, então será tarde demais.

A vida de muitos mineiros já foi salva colocando-se um canário para cantar no local. Enquanto a cantoria segue seu curso, tudo bem. Mas quando o canário interrompe a performance, é sinal de que o gás inflamável que se solta nas minas de carvão pode estar em quantidade perigosamente elevada. Ou seja, é um alerta de que vem problema por aí.

Muitos já usaram essa metáfora para se referir ao povo judeu. Quando o antissemitismo (ou judeofobia, termo que julgo mais correto) começa a aumentar, então é sinal de que algo de errado acontece no mundo e que vem problema por aí. Os judeus representam não só um grupo minoritário e relativamente fácil de ser identificado, como abraçam um monoteísmo ético que responde apenas ao seu Deus superior, não se dobrando ao relativismo moral vigente. Quando a convivência com tal rigidez ética se mostra insuportável para muitos, é sintoma de que o mundo está doente.

Historicamente, os judeus sofreram perseguições em diversas ocasiões, que invariavelmente representavam esses delicados e críticos momentos de inflexão e subversão de valores predominantes. O caso mais chocante, e um tanto quanto recente, foi o do nazismo. Mas esse horror todo seria impensável sem a conivência ou cumplicidade de grande parte da população. Os judeus foram os principais alvos, mas era um aviso de que algo de muito podre estava no ar.

"O que me preocupa não é nem o grito dos corruptos, dos violentos, dos desonestos, dos sem caráter, dos sem ética… O que me preocupa é o silêncio dos bons", disse Martin Luther King Jr. (1929-1968). Combater o aumento da judeofobia deve ser uma obrigação moral de todos que repudiam a injustiça. Mas também há razões pragmáticas para tanto: começam as perseguições com os judeus, mas nunca ficam restritas apenas a eles.

O que vimos em outubro de 2023 em Israel foi a face do mal em ação, a pura barbárie, um grupo terrorista sem causa alguma, que pretende simplesmente matar a maior quantidade de judeus que for capaz. Estupros de mulheres, matança generalizada com mutilações e gritos de euforia, crianças sequestradas: nenhuma causa geográfica justifica isso; é o mal em sua plena forma, nada mais.

E pensar que houve comemorações no Ocidente, em Nova York, em Paris, na Alemanha, na Austrália, no Brasil. E pensar que há uma esquerda boçal que aplaude esse tipo de barbárie, pois mascara seu ódio aos judeus na "condenação ao sionismo", acusando Israel de ser um estado colonialista, invasor e ilegítimo.

Nunca a existência do Estado de Israel se mostrou tão indispensável. O povo judeu é perseguido há milênios, e sempre que o mundo caminha para crises morais e existenciais maiores, os judeus são os alvos prioritários. Mas nunca os ataques ficam restritos a eles. Os seres humanos do Hamas – pois são, apesar de tudo, seres humanos –, com atitudes monstruosas contra crianças e mulheres, declararam guerra à própria civilização ocidental. E não faltam esquerdistas que celebram esse mesmo ódio aos valores judaico-cristãos.

É a *Pax Americana* que está ameaçada hoje por um eixo do mal que reúne os piores regimes do planeta, como China, Rússia e Irã, além de satélites como Nicarágua, Venezuela, Cuba – e, infelizmente, cada vez mais o nosso Brasil sob o nefasto lulismo.

Mas os valores ocidentais já enfrentaram inimigos poderosos antes, alguns de dentro do portão, e sobreviveram. São muitos os inimigos da liberdade, da tolerância, do amor, da vida humana sagrada. Mas seus defensores estão em maior número. E vamos prosperar uma vez mais.

A começar por Israel, que representa justamente essa resistência moral em meio a bárbaros. Os terroristas do Hamas acharam que quebrariam o espírito judeu com as imagens chocantes que divulgaram de seus atos indescritíveis. Mas Israel não se curvou. É preciso encarar a face do mal e derrotá-lo. É o que Israel pretende fazer. Com o apoio de todo ser humano decente que ainda habita este planeta.

AS RAÍZES EUROPEIAS DO ANTISSEMITISMO

Por mais de mil anos, os judeus têm sido alvos de preconceito, ódio, perseguições sangrentas e massacres. Para o italiano Roberto Finzi (1941-2020), autor de *Anti-Semitism: From its European Roots to the Holocaust* ["Antissemitismo: De Suas Raízes Europeias ao Holocausto", em tradução livre], a origem dessa aversão sem dúvida é religiosa, apesar de ela persistir em sociedades seculares. Os cristãos teriam ligação direta com isso. Afinal, a imagem do judeu como o Assassino de Cristo perdura ao longo de séculos. Judas Iscariotes, afinal, foi aquele que traiu Jesus por dinheiro.

Os judeus são sempre associados aos usurários insensíveis e gananciosos, como atesta o personagem Shylock, em *O Mercador de Veneza*, de Shakespeare (1564-1616). Não importa que a área financeira fosse uma das poucas profissões em que os judeus podiam atuar legalmente na Europa medieval. A imagem do judeu financista e insensível ficou, e com graves consequências. Nas Cruzadas, os maiores inimigos eram os sarracenos, mas os judeus também eram mencionados. O cristianismo não se bicava com o judaísmo, apesar de tantas semelhanças, eis a triste verdade.

Como toda minoria, os judeus tinham uma tendência de praticar a endogamia, ou seja, costumavam casar-se entre si. Os antissemitas, então, afirmavam que eles sempre foram "os mesmos", desde os tempos antigos até o presente. Isso mesmo antes das teorias racistas ganharem força na Europa. Por esta ótica, os judeus transmitiam sua genética "perversa" de geração em geração. Com esse contexto e as histórias de judeus como derramadores de sangue inocente, a situação deles não era fácil em países católicos.

A França, após sua Revolução jacobina em 1789, emancipou os judeus com base em seus princípios republicanos igualitários. Após essa emancipação, alguns judeus franceses inclinaram-se em direção à assimilação, ou seja, uma forma gradual de abandonar seus hábitos específicos e se "diluir" em meio ao restante do povo, casando-se com gentios e às vezes se convertendo ao cristianismo. O dilema de seguir pela assimilação e perder as heranças judaicas distintas, ou se manter diferente e arcar com os riscos disso acompanha todo judeu desde sempre.

Mas mesmo o judeu emancipado não deixou de ser um problema na França, pela ótica dos demais. Numa era de avanço capitalista, muitos judeus utilizaram sua experiência nas finanças para prosperar, e, por conta dessa mobilidade social, os judeus acabaram não sendo totalmente aceitos e assimilados pelos gentios na sociedade. Seu novo status como cidadãos com direitos iguais, somado à mobilidade social, acabou produzindo uma reação de antissemitas invejosos. Uma nova forma de antissemitismo ganhava força: o antissemitismo econômico. Os maiores responsáveis por sua disseminação eram intelectuais socialistas, que viam os judeus como os beneficiados pelas injustiças sociais da burguesia.

Pierre-Joseph Proudhon (1809-1865) foi um dos primeiros a atacar a "raça" dos judeus, alegando que possuíam um temperamento antiprodutivo, que não eram nem fazendeiros nem industriais, e nem mesmo empreendedores, mas algo intermediário, sempre fraudulento e parasítico. As obras de Charles Fourier (1772-1837) também estavam repletas de ataques antissemitas. Tudo isso foi alimentado por uma prolongada recessão entre 1882 e 1890. O medo e a insegurança se espalharam pela população.

O Union Générale, um banco católico fundado com o propósito de combater a hegemonia judaica no setor, sofreu um colapso espetacular. Os principais clientes eram ricas famílias católicas e eclesiásticas. Em 1892, outro escândalo financeiro afetou a poupança de muitos franceses: o fracasso do Panama Canal Company, fundada por Ferdinand de Lesseps (1805-1894), o arquiteto do projeto do Canal de Suez. Ele não tinha ligações com o judaísmo, mas os judeus foram uma vez mais responsabilizados pelo fracasso.

Tanto a esquerda radical quanto a direita radical atacavam a democracia, ainda que por pontos de vista distintos. De vez em quando, porém, as críticas convergiam. Ambos consideravam, à época, a democracia como uma farsa, uma enganação. Por trás das aparências de "poder do povo" haveria uma elite motivada por interesses próprios e representando um grupo secreto de poderosos indivíduos. Para quem era mais adepto de teorias da conspiração, o judeu se tornou um alvo predileto. Afinal, quem mais poderia ser o culpado por tantas tramas além do povo herdeiro direto do traidor Judas Iscariotes?

Para piorar a situação, como reação a tantos ataques infundados e perseguição, a Alliance Israélite Universelle foi criada em 1860, para promover a defesa dos direitos dos judeus. Vale lembrar que na maioria dos países europeus eles ainda não eram tidos como cidadãos e não gozavam dos mesmos direitos legais. Mas a criação da entidade acabou reforçando a narrativa de que os judeus tramavam um complô internacional que desprezava seus compromissos nacionais.

Os judeus eram vistos pelos antissemitas como os verdadeiros inimigos, numa época de fortalecimento do conceito de estado-nação, pois eles não eram leais, buscavam seus próprios interesses e exploravam as pessoas com suas habilidades financeiras. Com crises financeiras, falência de bancos controlados por não judeus e levantes anarquistas desafiando as nações, tudo isso "provava" as conspirações judaicas sem qualquer espaço para dúvidas.

O Dreyfus Affair[2] seria o grande teste da emancipação dos judeus na Europa, mas o antissemitismo falou mais alto e levou a melhor. Em 1894, o caso Dreyfus explodiu na França. Injustamente acusado de espionagem e traição, o capitão judeu do Exército Francês teve de esperar vinte anos até sua inocência ser reconhecida. Foi uma saga que se tornou símbolo da luta entre o pensamento livre e o preconceito, em especial o antissemitismo tão disseminado no continente.

O escândalo começou em dezembro de 1894, quando o capitão Alfred Dreyfus (1859-1935), um oficial da

---

2. O caso Dreyfus foi um escândalo político que dividiu a Terceira República Francesa de 1894 até sua resolução em 1906. (N. R.)

artilharia francesa alsaciana de ascendência judaica, de trinta e cinco anos, foi condenado por traição e sentenciado à prisão perpétua por comunicar segredos militares franceses à embaixada alemã em Paris. Ele foi enviado para a colônia penal da Ilha do Diabo, na Guiana Francesa, onde passou quase cinco anos preso em condições muito duras.

Em 1896, surgiram provas – principalmente por meio de uma investigação feita pelo tenente-coronel Georges Picquart (1854-1914), chefe da contraespionagem – que identificaram o verdadeiro culpado como um major do exército francês chamado Ferdinand Walsin Esterhazy (1847-1923). Oficiais de alta patente suprimiram as novas provas e um tribunal militar absolveu Esterhazy por unanimidade, após um julgamento que durou apenas dois dias. O Exército apresentou acusações adicionais contra Dreyfus, com base em documentos falsos.

Posteriormente, a carta aberta do escritor Émile Zola (1840-1902) *J'Accuse…!* [*Eu acuso…!*] no jornal *L'Aurore* alimentou um movimento crescente de apoio político a Dreyfus, pressionando o governo para reabrir o caso. O papel de Zola foi central no caso, e ele também pagou um preço pela defesa da verdade. Em julho de 1898, Zola foi condenado por difamação ao Estado, e fugiu para a Inglaterra para evitar sua prisão. É impossível analisar o caso Dreyfus sem levar em conta o contexto mais amplo de antissemitismo ainda predominante na Europa.

A França era o país mais tolerante na época, e isso comprova que não bastam leis para garantir a coexistência pacífica entre diferentes credos religiosos, culturas ou grupos étnicos. As leis podem ser condição necessária para a paz, mas com certeza não são suficientes. Cientes disso, muitos judeus passaram a flertar abertamente com uma solução sionista: os judeus precisavam ter seu próprio Estado para se proteger do preconceito e do ódio de que eram alvos.

Alguns identificavam o estado "natural" como a Palestina, antiga Judeia. Outros achavam que a questão central era adquirir algum território – qualquer território – para que o Estado judaico fosse fundado. Em 1903, Theodor Herzl (1860-1904), o fundador do movimento sionista, chegou a considerar a proposta britânica de criar a "Nova Palestina" na África. Seus inimigos acusaram os sionistas de "colonialistas", uma acusação que, como hoje sabemos, seria feita de qualquer forma, independentemente de onde fosse a criação do Estado. Os judeus não podem se manter diferentes em outras nações, tampouco podem ter sua própria nação: a única saída era a assimilação, ou seja, o judeu deixar de ser judeu, de existir como um povo distinto.

Claro que o judeu difere do judaísmo, uma vez que existe o judeu secular. O judeu é um conceito que mistura a religião e a etnia. Com as ideias racistas ganhando ar de ciência na era moderna, o judeu seria cada vez mais culpado por ser judeu, não importa sua postura religiosa. Vários povos são semitas, mas o antissemitismo passou a ser reduzido cada vez mais para significar apenas o ódio ao judeu. Nesse clima do novo antissemitismo, o judeu não era perseguido apenas por sua religião "nefasta", com supostos rituais homicidas, mas porque era malvado por "natureza". Essa ideia ganhava força justamente na Alemanha e Áustria. Em 1895, Viena, a capital rica do enorme império dos Habsburgo, elegeu como prefeito

Karl Lueger (1844-1910), então líder do Partido Socialista Cristão. Ele era o líder inconteste dos antissemitas no império, e venceu com larga maioria. Isso já mostra o clima do antissemitismo na região. Por quinze anos ele administrou Viena. Adolf Hitler (1889-1945), mais tarde, prestaria homenagem a Lueger.

O Partido Socialista Cristão também avançava na Alemanha. Adolf Stocker (1835-1909), apoiado por Otto von Bismark (1815-1898), comandava o partido. Ele era veementemente contra os judeus. Para ele, os judeus tinham aspirações puramente materiais e eram inerentemente destrutivos. A Alemanha do século XIX viu uma cultura antissemita se espalhar, o que não era fruto de uma escola marginal de pensamento, mas, sim, a característica central muitas vezes de figuras públicas do período. A mais perturbadora talvez seja a do músico Richard Wagner (1813-1883).

Para Wagner, era preciso se livrar da "opressão judaica". Ele tinha companhia em outras áreas, como na economia. Werner Sombart (1863-1941), um dos fundadores da história moderna econômica, publicou em 1911 um livro com a tese requentada de que o capitalismo e o judaísmo eram efetivamente idênticos. Sombart via superioridade dos judeus em todas as áreas da vida nacional, e algo precisava ser feito. Foi nesse contexto que Friedrich Nietzche (1844-1900) comentou: "Ainda não conheci um único alemão que sentisse boa vontade para com os judeus". Talvez para provar seu ponto, seu próprio cunhado, Bernard Forster (1843-1889), popularizou sua obra impondo a ela uma interpretação antissemita. Friedrich Nietzsche, filho do seu tempo, acabou dando espaço a tal uso indevido ao falar dos judeus com base em seu "sangue", dando uma conotação racial.

Além da Alemanha e da Áustria, a Rússia tinha um grande problema de antissemitismo. De acordo com o censo de 1897, o último antes da Revolução Bolchevique, viviam cerca de 5 milhões de judeus sob o comando do czar. A maioria era extremamente pobre e vivia em condições deploráveis. As campanhas antissemitas partiam de cima para baixo, das elites ligadas ao czar. Alexandre III, czar russo de 1881 a 1894, chegou a afirmar que se deliciava quando judeus eram mortos. E muitos eram mortos.

A primeira exploração de "fúria popular" contra judeus ocorreu em Odessa, em 1871, mas várias outras se seguiram. O termo utilizado para tais massacres era *pogrom*, uma palavra russa que normalmente é usada para se referir à destruição. Em 1903 ouve um *pogrom* em Kisinev que chocou a opinião pública. Algo em torno de 50 mil judeus viviam na cidade. O pretexto para o massacre, que se deu no dia da Páscoa dos cristãos ortodoxos, foi o suicídio de uma garota cristã. De acordo com a imprensa ligada ao governo, a culpa teria sido do seu empregador judeu. Por dois dias os judeus foram alvos da fúria da multidão, que matou cinquenta pessoas, deixou uma centena de feridos e quase mil casas destruídas. Bebês judeus foram jogados pela janela, mulheres foram estupradas, torturadas, e várias sinagogas incendiadas.

Foi nesse ambiente que surgiu o panfleto *Os Protocolos dos Sábios de Sião*. Era o poder da propaganda, que seria a arma nazista com Goebbels (1897-1945) pouco depois. Até o *The Times* garantiu a autenticidade do documento, que revelaria um grande complô judaico para dominar o mundo. Mais tarde ficou provado tratar-se de uma farsa. Os *Protocolos* foram em parte um resgate de um livro de ficção alemão publicado em 1868, chamado *Biarritz*, de autoria de Sir John Retcliffe, pseudônimo de Hermann Goedsche (1815-1878).

O livro tem um capítulo intitulado "No Cemitério Judaico de Praga", que certamente inspirou o livro *O Cemitério de Praga*, de Umberto Eco (1932-2016), uma crítica às teorias da conspiração. No livro de Goedsche, os representantes das tribos de Israel se encontram à meia-noite para armar um plano para libertar os judeus de toda discriminação e estabelecer que os netos dos ali presentes seriam os futuros príncipes do planeta e governantes de todas as nações. Em 1920, já havia provas de que os *Protocolos* eram uma farsa, provavelmente obra da polícia secreta do czar. Não obstante, sua divulgação continuou, como se fosse a descoberta de um plano mirabolante de verdade.

Toda (boa) teoria da conspiração bebe de fatos, de acontecimentos que, isolados, são até reais, mas que não configuram a interpretação holística dos paranoicos. O governo imperial alemão, por exemplo, permitiu que Lenin atravessasse seu território no caminho da Suíça para a Rússia, onde deu início à Revolução Bolchevique. Muitos líderes bolcheviques eram judeus. Uma vez no poder, os bolcheviques fizeram um acordo de paz com a Alemanha. Para os antissemitas, isso tudo era prova de um complô dos banqueiros judaicos da Alemanha.

Ainda hoje os *Protocolos* continuam sendo utilizados por antissemitas muçulmanos. É o caso do Hamas, que em 1988 publicou um texto elencando seus fundamentos, e lá consta a "trama" judaica retirada do panfleto mentiroso do czar russo. Em escala menor, esse antissemitismo atravessou o oceano e alimentou grupos americanos também. Isso muito antes da patota *woke* se aliar aos terroristas do Hamas contra os judeus e Israel, como veremos adiante.

Em 1840, cerca de 15 mil judeus viviam na América. Vinte anos depois eram dez vezes mais. E em 1880 já eram cerca de 300 mil. Entre 1899 e 1914 algo como 2 milhões de judeus cruzaram o Atlântico, a maioria fugindo da Alemanha e da Rússia. Os judeus também eram alvo de discriminação nos Estados Unidos, ainda que em grau bem menor do que na Europa. Até a Guerra Civil em 1861, os treze estados originais possuíam leis limitando os direitos dos judeus de votar ou ocupar cargo público. No começo do século XX, os judeus eram excluídos de muitas associações e clubes.

O antissemitismo americano deu um salto após a Revolução Bolchevique. A crença era de que os bolcheviques, e em especial o judeu Leon Trotsky (1879-1940), eram financiados por um "sindicato" comandado por banqueiros judeus. Uma vez mais os judeus eram associados a um complô internacional, e uma vez mais a teoria da conspiração encontrava respaldo em fatos isolados, pois alguns judeus realmente ajudaram os comunistas russos. Entre os que embarcaram nas teorias antissemitas estava o industrial americano Henry Ford (1863-1947).

Ford era dono de um jornal com tiragem de 300 mil cópias, e *The Dearborn Independent* acabou disseminando as "teses" dos *Protocolos*. O jornal reuniu artigos antissemitas num volume intitulado *The International Jew* ["O Judeu

Internacional", em tradução livre], que vendeu meio milhão de exemplares e foi traduzido para o alemão, o russo e o espanhol, além de outras trezes línguas. A propaganda nazista utilizaria uma versão resumida da obra, e Hitler mantinha uma fotografia de Henry Ford em sua mesa, mesmo depois de Ford ter abandonado sua militância antissemita.

Hitler e seu Partido Nacional Socialista dos Trabalhadores Alemães levariam o antissemitismo a um novo patamar. A nova mensagem não era para forçar o judeu a abandonar suas raízes e passar pela assimilação, mas, sim, eliminar todo judeu. Os judeus simplesmente não merecem viver, segundo os nazistas. Isso porque a segregação racial já era a moda "científica" no mundo, sob a influência de gente como Gobineau (1816-1882).

Enquanto alguns mantinham que o "arianismo" era uma questão de espírito mais do que sangue, a miscigenação com base na "raça" acabou sendo inevitável, e os nazistas partiram para um critério biológico para dividir quem era da "raça pura" e quem era "como o pior bacilo", um "infame contagioso" que "envenena as almas". São passagens retiradas de *Mein Kampf* ["Minha Luta", em tradução livre], o livro em que Hitler já antecipava o que pretendia fazer com a "solução final".

Infelizmente, muitos resolveram não o levar a sério. Se antes os judeus poderiam "escapar" se convertendo, renunciando ao judaísmo, agora isso não era mais uma opção na mesa, pois eles eram judeus em termos de características raciais. Hitler nunca escondeu sua meta de criar uma Alemanha livre de judeus. E isso mesmo quando nomes importantes como Heinrich Heine (1797-1856) e Albert Einstein (1879-1955) figuravam entre os judeus alemães. Dos 44 alemães que receberam um Prêmio Nobel antes de Hitler chegar ao poder, 8 eram judeus e outros 4 misturados. Os judeus alemães também eram uma minoria com forte senso de lealdade: durante a Primeira Guerra, 100 mil judeus lutaram nas forças armadas alemãs e 12 mil foram mortos em combate.

Não obstante, o "problema" judaico, visto como um "bacilo contagioso", não poderia ser resolvido sem derramamento de sangue. Paul Joseph Goebbels (foi Ministro da Propaganda no governo nazista), em 1933 ainda, disse a um jornalista inglês: "Morte aos judeus! Durante catorze anos, este tem sido o nosso grito de guerra. Que todos caiam mortos". Pilhas de livros de autores judeus foram incendiadas, e gradualmente os judeus foram perdendo os poucos direitos que possuíam. Milhares imigraram, mas muitos não tinham condições. Em 1935, as Leis de Nuremberg forram criadas para tornar a vida dos judeus ainda mais impossível. Eles não eram cidadãos e não podiam casar-se com "arianos". Atividades econômicas ficaram cada vez mais restritas por meio de regulamentações.

Na noite de 9 de novembro de 1938, a violência antissemita explodiu no que ficou conhecido como *Kristallnacht*, a "Noite dos Cristais", por conta dos vários ataques a lojas de judeus. Mais de uma centena de sinagogas foram incendiadas. Quase cem judeus foram assassinados. Quase 30 mil foram presos. Tudo isso uma ideia de Goebbels, que precisava pintar os judeus como uma terrível ameaça. Se eles não correspondiam às narrativas, então que se criasse um fato, ainda que forjado. O que se seguiu dali é sabido: 6 milhões de judeus morreram no Holocausto.

BODE EXPIATÓRIO

A metáfora do canário da mina é muito importante como tese neste livro. Os judeus, por algumas características peculiares, acabam sendo os *primeiros* alvos de preconceito em uma sociedade invejosa, ressentida. E é crucial compreender melhor essa inclinação da natureza humana de buscar culpados alheios para nossos males.

No começo havia culpa. Adão culpou Eva, Eva culpou a serpente, e temos sido consistentes nisso desde então. É o nosso pecado original, esta recusa em aceitar a responsabilidade pelas nossas ações. É apenas um sistema embutido que temos para desviar a culpa para outro lugar e tornar mais fácil viver uma vida não examinada. Se a culpa é nossa, então podemos colocá-la em quem quisermos.

Ao longo da história, é apenas nas circunstâncias mais excepcionais que um governante admitirá a culpa. E muitas vezes é isso que torna o líder excepcional – uma disposição para admitir a falibilidade e aprender com ela. Vale para governantes, mas vale também para o povo todo. A criação de "bodes expiatórios" é uma marca da humanidade. É o que mostra Charlie Campbell em *Scapegoat: A History of Blaming Other People* ["Bode Expiatório: Uma História sobre Culpar Outras Pessoas", em tradução livre].

Talvez gostemos de pensar, depois de ler sobre o sacrifício de "bodes" expiatórios humanos, que superamos práticas tão cruéis, mas, para o autor, não o fizemos – apenas os métodos mudaram. Por baixo, ainda somos os mesmos seres primitivos em busca de terceiros para culpar por nossos problemas.

A premissa acerca de nossa natureza humana é o divisor de águas aqui: os românticos inspirados em Jean-Jacques Rousseau (1712-1778) acreditam no "bom selvagem", com uma natureza infinitamente elástica, permitindo se criar o Novo Homem; já os realistas, mais conservadores, compreendem que a besta selvagem está sempre à espreita dentro de nós, pois somos seres limitados, e precisamos de um mecanismo de incentivos adequado a esta realidade.

Ainda ansiamos por explicações simples para acontecimentos complexos. E não podemos deixar de responsabilizar uns aos outros quando as coisas dão errado. Campbell apresenta sua definição de bode expiatório: "Qualquer objeto material, animal, pássaro ou pessoa sobre o qual são simbolicamente colocados o azar, as doenças, os infortúnios e os pecados de um indivíduo ou grupo, e que é então liberado, expulso com pedras, lançado em um rio ou mar, na crença de que leve consigo todos os males que lhe são impostos".

Os seres humanos criaram válvulas de escape para essa realidade, e daí os festivais libertinos. Os romanos realizavam o festival da Saturnália, que era um período de licença geral. Os senhores serviam os seus escravos e todo o tipo de coisas eram permitidas, desde beber e dançar em excesso até sexo. Depois um indivíduo seria punido, retirando a culpa dos demais.

De repente, o bode expiatório não é mais um ato ritual, mas um padrão de comportamento; não é mais uma forma de salvaguardar uma comunidade, mas, sim, uma forma de proteger uma ou duas pessoas. Cada vez que ocorre um evento catastrófico, a maioria encontra uma minoria para culpar. Às vezes isso acontece quase organicamente, outras vezes a turba é conduzida pelo rei em direção à sua vítima.

Do século V ao XV, pensava-se amplamente que a bruxaria existia. Pode ser difícil para a mente moderna compreender, mas esta crença estava profundamente enraizada e difundida. Nunca nada teria acontecido por acaso e quase tudo de ruim que acontecia era resultado de bruxaria. Será que melhoramos muito? Quando vimos na pandemia os histéricos culpando os "negacionistas" pelo vírus, isso não foi semelhante à perseguição às bruxas na era medieval?

Quando a Peste Negra atingiu a Europa no século XIV, em muitos casos a culpa foi atribuída aos judeus, que foram acusados de espalhar a doença e envenenar o sistema de água. De 1348 a 1351, mais de duzentas comunidades judaicas foram exterminadas na Alemanha. A judeofobia não é novidade no mundo. "O ódio é a verdadeira paixão primordial", como diz um personagem do livro *O Cemitério de Praga*, de Umberto Eco, que faz o alerta de como é perigoso selecionar uma "raça" como bode expiatório para todos os males do mundo, um alerta que é válido e sempre atual.

Os homens parecem inclinados a crer em teorias conspiratórias que simplificam um mundo complexo e jogam a responsabilidade de nossos problemas sobre ombros alheios. Se tais ombros forem de um povo minoritário e facilmente identificável, então o trabalho é mais fácil ainda. Se for um povo com relativo sucesso financeiro, mesmo vindo de baixo, aí é bem tentador colocá-lo como culpado por tudo.

Foi desta forma que nasceram os *Protocolos dos Sábios de Sião*, um conjunto de textos mentirosos que imputavam aos judeus um complô para dominar o mundo. Ele fora forjado pela polícia secreta do czar Nicolau II (1868-1918), e ganhou inúmeras traduções pelo mundo todo, ajudando a disseminar o antissemitismo. Em 1921, o *London Times* descobriu as relações com o livro de Goedsche, publicado muitos anos antes, e denunciou os *Protocolos* como uma falsificação. Mas o encanto pelas teorias conspiratórias falou mais alto, e o livro foi publicado várias vezes como autêntico mesmo depois disso.

Hitler, em *Mein Kampf*, chega a escrever que os *Protocolos* são verdadeiros, e a melhor prova disso é que os judeus negam sua veracidade. Para o nazista, quando todos tiverem conhecimento dos incríveis planos judaicos, o mundo estará perto da "solução final", ou seja, o extermínio desta "raça" associada a animais. A desumanização do inimigo é outra estratégia eficaz para persegui-lo e exterminá-lo sem tanta culpa na consciência.

O horror do Holocausto, resultado desta campanha antissemita intensiva ao longo de décadas, ainda está fresco na memória de muitos. Mas o risco é sempre real, especialmente em tempos de crises, pois os homens são suscetíveis a teorias conspiratórias mirabolantes, e os judeus sempre serão um alvo fácil. Nada mais reconfortante para os medíocres do que crer que seus infortúnios são obra de uma cúpula pequena reunida em locais secretos para construir complôs e dominar a humanidade. É tudo culpa "deles". E assim os fracassados alimentam o ódio que aquece suas almas.

Os regimes totalitários levaram a tendência do bode expiatório ao extremo: a autodenominada forma de governo perfeita não tolera qualquer forma de fracasso e, por isso, atribui culpas com extraordinária ferocidade. Todo tirano precisa de um inimigo cruel e mortal para justificar seus atos injustificáveis.

As teorias da conspiração tendem a surgir primeiro entre as classes médias instruídas. Pensemos nos universitários de hoje. São pessoas que preferem acreditar que existe alguma ordem no mundo, mesmo que seja maligna. A alternativa – que o mundo é mais caótico, sem nenhum ser ou organização dominante acima de nós – é demasiado terrível para ser contemplada. As teorias da conspiração nos permitem pensar que somos poderosos.

Ao reconhecermos a nossa própria sombra, tornamos menos provável que a projetemos nos outros. A saída para essa inclinação de transferir culpas é a humildade diante do espelho, admitir que nós também somos imperfeitos e capazes de atos condenáveis. Reparem que são justamente os "progressistas", que se consideram seres maravilhosos, que estão relativizando a barbárie dos terroristas do Hamas, pois seus alvos são judeus. São pessoas que se julgam nobres, preocupadas com todas as minorias e até com o planeta, mas estão passando pano para quem degola crianças, estupra meninas e mutila idosos. É porque os judeus viraram seus bodes expiatórios, e lhes falta humildade para admitir sua mediocridade e seu ressentimento, que alimentam esse ódio em seus corações.

PERIGOSA DESUMANIZAÇÃO

Para usar um grupo étnico ou racial como bode expiatório de forma mais eficaz, sua desumanização se faz necessária. Uma coisa é odiar ou até matar outro ser humano; outra coisa, bem diferente, é eliminar um "rato", uma "barata". Por isso a desumanização sempre foi instrumento crucial no antissemitismo. E, aqui também, creio ser importante conhecer mais a fundo certas tendências da natureza humana.

"Sou um homem: nada do que é humano me é estranho", disse Terêncio (ca. 195/185 a. C.-ca. 159 a. C.). Seres humanos são capazes de ações monstruosas, e às vezes chamá-los de "animais" não ajuda, pois só o homem comete atrocidades com livre-arbítrio e código moral. A elasticidade humana é surpreendente, pois podemos ir do monstruoso ao heroico e santo. Talvez por isso chame tanta atenção quando seres humanos se deixam levar pelo lado mais sombrio: pois ele poderia ser diferente.

E para agir como monstro, a desumanização é uma ferramenta sedutora. Há um episódio da série *Black Mirror* que fala disso. É sobre um programa militar chamado "Mass", implantado nos soldados para que eles vejam os inimigos como animais, monstros, os tais *"roaches"* (diminutivo de baratas).

Estatísticas mostram que muitos soldados sequer chegam a disparar suas armas em combate, e os que matam adversários costumam muitas vezes demonstrar problemas psicológicos depois. Para que se tornem máquinas assassinas mais eficazes, a ideologia se faz necessária, tanto o nacionalismo de um lado como a desumanização do inimigo do outro. No caso, a tecnologia veio suplantar essa "falha".

Não resta dúvida de que, se a própria sobrevivência da civilização está em jogo, como no caso da Segunda Guerra, nós só podemos torcer para que os militares do lado certo matem sem dó nem piedade os nazistas. Somente pacifistas bobocas (e hipócritas) poderiam dizer o contrário. Mas o dilema moral persiste: são seres humanos morrendo, por mais que tentemos vê-los como bichos.

E, felizmente, há dentro de nós um lado que se incomoda ao eliminar uma vida humana, à exceção dos psicopatas. Jamais é uma coisa trivial. Até que, repito, alguma ideologia venha transformar isso, ao longo de muita propaganda e lavagem cerebral, normalmente desumanizando o alvo.

O soldado que descobre a verdade não consegue mais matar os *"roaches"* com a mesma facilidade, pois enxerga a pessoa por trás do "monstro". Mas quando o responsável pelo programa o obriga a remoer as imagens reais em sua cela, ele escolhe a ficção, a fantasia, o programa novamente, para voltar a ver o mundo pela lente tecnológica (ou ideológica). A realidade pode ser muito insuportável mesmo.

Desde que o homem é homem, ele escraviza e até extermina grupos inteiros de outros seres humanos. O típico pensamento tribal de "nós contra eles" parece enraizado em nossa espécie, e o preconceito e a xenofobia acabam alimentando um desprezo por determinados grupos étnicos, sociais ou religiosos. Às vezes, essa visão chega ao extremo do genocídio. Isso é possível porque as vítimas são tratadas como se fossem de outra espécie, animais inferiores, sub-humanos. O que explica isso? Como tentar mitigar esse risco?

São perguntas que David Livingstone Smith (1953-) procura responder em seu excelente *Less Than Human: Why We Demean, Enslave, and Exterminate Others* ["Menos Que Humano: Por Que Humilhamos, Escravizamos e Exterminamos os Outros", em tradução livre]. Aqueles considerados sub-humanos não possuem, pela ótica de seus detratores, aquela coisa especial que não é fácil de explicar, mas que nos torna humanos. Por conta desse déficit, não desfrutam do respeito que normalmente estendemos a toda nossa espécie.

Podem, assim, ser escravizados, torturados ou mesmo exterminados sem que a consciência pese tanto. Quem age assim não se sente atacando outro ser humano, e, sim, um bicho inferior. Por isso que mesmo pensadores iluministas, de cima de sua Razão e com forte apreço pelas liberdades individuais, deixaram negros de fora dos "direitos universais". Você pode acusar os "pais fundadores" da América de hipocrisia, mas, na verdade, eles simplesmente não enxergavam aqueles escravos como gente igual, como outro ser humano merecedor dos mesmos direitos.

Esse processo de desumanização é o assunto do livro de Smith. Como ele ocorre? Para o autor, o tema, que é da maior importância, tem sido negligenciado por muitos pensadores, e faltam estudos mais aprofundados sobre ele.

Foi para iniciar esse debate que Smith escreveu o livro, bebendo da história, da psicologia, da filosofia, da biologia e da antropologia. Quais são as forças e os mecanismos que sustentam esse processo de desumanização, que pode ser observado em várias épocas e por todo lugar?

Sim, antes que os "movimentos de minorias" antiocidentais fiquem animados, vale notar que esse processo é bem antigo e não faz distinção entre povos. A desumanização não é exclusividade da Europa, tampouco da era moderna. Era uma prática disseminada, antiga, profundamente arraigada na trajetória de nossa espécie, o que derruba uma visão mais "construtivista" do fenômeno. Ele parece, infelizmente, mais natural do que gostaríamos de aceitar.

A cultura, portanto, tem muito a acrescentar, para pior ou melhor, mas estamos lidando com algo biológico também, o que não deve ser desprezado. A desumanização se dá quando certos seres apenas aparentam humanidade, mas por baixo da superfície, não são vistos como humanos em sua essência. Claro que ela se alimenta do racismo: sem ele, a desumanização não existiria. Ela é uma forma de pensar que, infelizmente, floresce em nós com mais facilidade do que admitimos.

Preferimos crer que somente monstros seriam capazes de certos atos, mas o autor contesta essa visão. São "monstros" no sentido que abandonaram justamente seu lado humano benevolente, que tem empatia pelo próximo. Mas continuam seres humanos. O animal homem, afinal, possui essa ambiguidade, essa dualidade. É capaz de atos de extrema generosidade e altruísmo, mas também é capaz das maiores atrocidades.

E fechar os olhos para a possibilidade de que tais crueldades poderiam ser praticadas por quase qualquer um, dependendo da circunstância e do processo de lavagem cerebral, pode ser uma visão reconfortante, mas não necessariamente será verdadeira. Por isso a desumanização é mais comum na história do que gostaríamos. Ela é um lubrificante psicológico que dissolve as inibições morais e inflama paixões destrutivas. Dessa forma, ela leva as pessoas a agirem de uma maneira que, em situações normais, seriam impensáveis.

Todos sabem, no fundo, que é errado matar uma pessoa. Mas e um rato? E exterminar um vírus perigoso? E caçar uma presa natural? E combater uma praga ameaçadora? E se livrar de um bicho peçonhento e asqueroso? Para quem coloca em prática atos de extermínio, é uma dessas visões que prevalece do alvo: ele deixa de ser outro ser humano e passa a ser um animal inferior. Há farta documentação que comprova que era exatamente assim que os nazistas enxergavam os judeus. O Holocausto é o caso mais absurdo de genocídio, um dos mais nefastos. Mas não é o único.

Nada disso justifica ou relativiza a barbárie nazista. Ao contrário. O mais desconcertante é que não eram todos monstros. Várias pessoas comuns, que em outras esferas da vida levavam vidas aceitáveis ou mesmo decentes, endossaram o nazismo ou se transformaram em máquinas assassinas de judeus. Recomendo o livro *Homens Comuns*, de Christopher R. Browning (1944-), e o documentário homônimo na Netflix sobre o assunto. Eram seres humanos por trás da chacina nazista, e isso é o mais chocante e assustador. Foi o fato de realmente verem suas vítimas como ratos, não mais como seres humanos, o que permitiu que tanta gente aceitasse a "solução final" de Hitler. Ou a "limpeza" feita pelo Khmer Vermelho no Camboja, que exterminou um terço da população.

O livro de Smith relata inúmeros caos de linguagem utilizada para a desumanização de inimigos. Militares adoram se referir a seus alvos com metáforas de animais. Muitas vezes são mais do que apenas metáforas; é como realmente enxergam os outros. Os soviéticos encaravam os *kulaks*, pequenos proprietários, como vermes. Os comunistas do Khmer Vermelho, mencionado acima, viam suas vítimas como "macacos". Os japoneses viam seus inimigos como demônios, espíritos malignos, monstros. Soldados americanos se referiam aos inimigos japoneses como "cães".

O grau de barbárie a que o homem é capaz de chegar impressiona. São relatos medonhos de crianças mortas como se fossem formigas, de mulheres estupradas como se fossem descartáveis. O autor conta alguns episódios de embrulhar o estômago. Mas eles aconteceram mesmo. E com mais frequência do que pensamos. Por trás desses atos está o processo de desumanização que o torna possível. À exceção de psicopatas, ninguém agiria dessa forma tão brutal. Mas muitos agiram. Muitos agem, especialmente em guerras. É porque enxergam os inimigos como não humanos.

A retórica militar em nada ajuda. Na verdade, ajuda a aumentar o problema. Pessoas comuns se tornam monstros com total descaso pela vida humana, exatamente porque não mais a veem como humana. A desumanização é fomentada pela propaganda. Antes do genocídio em 1994, por exemplo, os tutsis eram caracterizados como "baratas" pelas rádios na Ruanda. Não é preciso falar da propaganda nazista ao retratar os judeus como terríveis bichos inimigos do povo alemão, que disseminavam doenças fatais.

A imensa maioria dos seres humanos hesitaria em matar ou torturar outro da mesma espécie. Mas esses escrúpulos se perdem quando estamos diante não mais de outro ser humano, e, sim, de uma ratazana ou de uma cobra. Ao retratarmos os outros como animais perigosos ou parasitas, tal retórica se mostra perigosa, pois mexe com nossos medos mais profundos. Tais técnicas de discurso incentivam o terror e fecham nossas mentes. Se um conflito internacional é explicado como a luta contra criaturas sub-humanas que nos ameaçam, então nenhuma análise extra se faz necessária: é preciso exterminá-los.

Desumanização não é o mesmo que objetificar uma pessoa, como as feministas acusam os homens de fazerem com as mulheres. É realmente enxergar o outro como sub-humano, como desprovido da essência que nos torna seres humanos. É algo psicológico, que ocorre em nossas mentes. É uma atitude, uma forma de pensar, de ver o mundo. E é algo antigo, que desde os gregos temos documentado, mas que vem de muito antes. Na hierarquia mental que construímos para analisar o processo evolutivo, a desumanização ocorre quando alguns são vistos como se num estágio inferior de desenvolvimento. Não são humanos, ainda.

As pessoas mais "esclarecidas" do mundo ocidental hoje entendem que todos nós somos *Homo sapiens*, detentores da racionalidade como instrumento cognitivo. Mas a desumanização ocorre num estágio mais instintivo. São impulsos que podem se sobrepor às convicções intelectuais. Vêm de uma força mais atávica e tribal presente em nós todos, e, com a devida manipulação retórica, podem anular a visão mais racional da coisa. Dependendo da circunstância, a besta humana em nós pode falar mais alto do que o ser racional civilizado.

Os estrangeiros, os "outros", acabam muitas vezes vistos com desconfiança. A essência do racismo – a noção de que populações inteiras possuem um defeito de caráter inato – tem sido parte da cultura humana por muito tempo. Os "bárbaros" são vistos como animais brutos, incapazes de apreender nossa cultura superior. A cultura medieval islâmica, por exemplo, via os negros africanos como estúpidos, preguiçosos e sujos. Não foram poucos os intelectuais ocidentais que também adotaram visão preconceituosa contra eles.

Reconhecer essa tendência natural é talvez o primeiro passo para tentar contê-la ou mitigá-la. Os românticos preferem crer no homem como uma *tabula rasa*[3], como um "bom selvagem", pronto para ser educado como bem aprouver aos "engenheiros sociais". Não é assim que funciona, e uma abordagem realista é fundamental para não alimentar ilusões infantis. O animal homem, como seus parentes chimpanzés, gosta da violência e adota uma postura tribal contra "os outros", o que teve inclusive

---

3 *Tabula rasa* é um conceito filosófico que designa que a mente não é inata. Mas é defendido que ela se trata de algo como uma folha em branco, sendo moldada pela experiência. (N. R.)

vantagens evolutivas. Ao mesmo tempo, somos capazes de sentir empatia pelo próximo. Somos seres ambivalentes.

A desumanização é extremamente perigosa justamente porque oferece ao cérebro os meios pelos quais podemos superar as restrições morais contra os atos de violência. Ao verem comunidades inteiras como sub-humanas, os humanos driblam essa ambivalência e podem, agora, exterminar seus inimigos sem remorso, como quem elimina um germe. O processo de desumanização ocorre em situações em que desejamos agredir determinado grupo, mas somos contidos por inibições morais. Isso se dá num nível emotivo, não estritamente racional.

Como efetivamente conter tais impulsos? O autor não oferece um manual. Ele reconhece que não é algo tão simples assim, que não basta "contar histórias boas", ignorando a questão sobre nossa natureza humana. Mas sem dúvida em nada ajuda a retórica tribal de "nós contra eles", que retrata "eles" como bichos tidos como inferiores. As "metáforas" que usamos para descrever nossos adversários como ratos, como insetos, como vermes que devem ser eliminados, não contribuem muito para a vitória da civilização sobre a barbárie. São perigosas, para dizer o mínimo.

Apontemos os erros, os absurdos de nossos adversários. Reconheçamos a monstruosidade de certas ideologias. Ataquemos o comunismo, o socialismo, o nacional-socialismo, o fascismo, o radicalismo islâmico. Mas tomemos o cuidado de não transformarmos seus seguidores em bichos sub-humanos, que precisam ser exterminados. São, apesar de tudo, seres humanos. Apesar de, no mundo moderno que muitos deles ajudaram a criar, talvez seja mais valioso ser considerado um animal mesmo, já que seres humanos estão em baixa na escala de valores.

Da próxima vez que o leitor se deparar com um pensamento transformando um judeu num bicho qualquer, lembre-se disso: trata-se de uma estratégia para tornar mais fácil eliminar seres humanos. Nesse momento, talvez seja interessante resgatar a fala de Shylock em *O Mercador de Veneza*, de Shakespeare:

> Sou um judeu. Então um judeu não possui olhos? Um judeu não possui mãos, órgãos, dimensões, sentidos, afeições, paixões? Não é alimentado pelos mesmos alimentos, ferido com as mesmas armas, sujeito às mesmas doenças, curado pelos mesmos meios, aquecido e esfriado pelo mesmo verão e pelo mesmo inverno que um cristão? Se nos picais, não sangramos? Se nos fazeis cócegas, não rimos? Se nos envenenais, não morremos? E se vós nos ultrajais, não nos vingamos?

Bem, certamente o judeu, como qualquer outro ser humano, tem todo direito de se vingar ou, melhor, buscar justiça caso seja alvo de ataques, de ultraje. Mas, curiosamente, muita gente nega tal direito apenas aos judeus. E o pior: às vezes um próprio judeu. Como explicar isso?

SÍNDROME DE ESTOCOLMO

No dia 23 de agosto de 1973, três mulheres e um homem foram usados como reféns em um assalto a banco em Estocolmo, na Suécia. O assalto estendeu-se por seis dias, e, para a surpresa geral, os reféns acabaram protegendo seus raptores. De fato, meses depois, duas das reféns chegaram a casar com seus algozes. Desde então, chama-se "Síndrome de Estocolmo" a esse fenômeno psicológico, quando o refém demonstra afeição por seu raptor. Uma parte da esquerda caviar sofre dessa patologia.

Quanto mais o sujeito bate na riqueza, no capitalismo, na burguesia, no estilo de vida ocidental, mais o rico capitalista burguês do Ocidente parece se encantar com ele. Um ditador ameaça destruir toda Nova York com uma bomba atômica? Ele é defendido pelo rico que vive em Nova York. Um tirano chama de porco todo empresário rico? O empresário rico não só o aplaude, como financia o projeto de poder do tirano.

Trata-se de algo muito estranho, mas que ocorre com certa frequência, infelizmente. É a esquerda "mulher de malandro", que gosta de apanhar, que goza com o seu masoquismo, que treme de prazer diante de um inimigo viril, tal como a mulher que apanha do marido, mas é incapaz de abandoná-lo. Fidel Castro (1926-2016) representou essa figura para muitos da esquerda caviar, seguido por Hugo Chávez (1954-2013).

Em *The Oslo Syndrome: Delusions of a People under Siege* ["A Síndrome de Oslo: Delírios de um Povo Sitiado", em tradução livre], Kenneth Levin (1944-) trata justamente da Síndrome de Estolcomo, tendo a elite de Israel como foco. Descreve como a Síndrome de Estocolmo é uma resposta comum entre populações cronicamente sitiadas, quando minorias são alvo de discriminação, difamação e ataques. O mesmo vale para pequenas nações sob persistente ataque dos vizinhos.

As pessoas que vivem sob tais condições estressantes muitas vezes optam por aceitar, pelo valor de face, os ataques de seus acusadores, na esperança de, assim, escapar dessa situação. Não suportam mais tanta perseguição, e acabam desenvolvendo uma visão ilusória sobre seus inimigos, como mecanismo de autodefesa.

O autor vai buscar em Anna Freud (1895-1982) parte da explicação. Muitas crianças abusadas adotam um comportamento estranho de culpa, como se algo de ruim nelas justificasse sua situação. No afã de conquistar de alguma maneira o amor do parente que dela abusa, a criança transfere a responsabilidade para si própria.

Outra possível explicação diz respeito à ingenuidade das crianças. O abuso normalmente vem junto com acusações de que tal ato é consequência de alguma coisa errada que ela fez, e a criança aceita tal fardo pelo valor de face.

Uma terceira possibilidade seria o narcisismo típico da infância. As crianças estão inclinadas a se enxergar como o centro do mundo e se atribuir poderes grandiosos. Isso cria a predisposição para assumirem a responsabilidade de tudo aquilo que acontece com elas, bom ou ruim.

Tais crianças se deparam com duas escolhas: podem compreender que são vítimas de forças e circunstâncias fora de seu controle, o que pode levar a certo desespero; ou podem atribuir os abusos que sofrem a seu próprio comportamento equivocado, assumir responsabilidade e alimentar culpa, o que cria a ilusão de controle da situação.

Caberia a própria criança, então, mudar o comportamento, ser "boazinha", e por meio dessa reforma ela seria deixada em paz e o abuso terminaria. A primeira escolha é a mais realista. Mas a segunda oferece uma quase irresistível alternativa ao desespero do confronto com a realidade.

Agora podemos compreender melhor a reação de muitos diante dos inimigos islâmicos. Uma sociedade acuada, difamada, atacada e sob constante risco de abuso acaba desenvolvendo mecanismos de fuga que transferem para si própria a culpa pelo que acontece. Ainda que seja só pela esperança de, ao agir assim, ser deixada em paz por aqueles que a querem destruir.

A recente "paixão" pelo Islã radical pode ter, em muitos casos, essa origem. Após o atentado de 11 de setembro de 2001, muitos americanos tentaram racionalizar a ameaça terrorista, suavizar o lado de lá, ou mesmo culpar os próprios americanos pelo ocorrido, na ilusão de que, assim, sua nação ficaria livre dos perigos que enfrenta.

Desde então, uma política de "fronteiras abertas" foi pregada pela esquerda global, que inundou o Ocidente de maometanos radicais. Muitos odeiam o Ocidente, mas foram para a Europa ou para os Estados Unidos mesmo assim. É preciso receber de braços abertos os "refugiados", grita a elite ocidental culpada. "Palestina para os palestinos" parece um slogan fofo, mas "Europa para os europeus" seria claramente xenófobo e preconceituoso, além de coisa de extrema direita reacionária.

"Se eu for bonzinho e concordar com meu inimigo, talvez ele me deixe em paz". Esse parece ser o pensamento típico dessa ala da esquerda caviar, que nunca aprende com a história. Aliás, aprendemos com a história que poucos aprendem com ela. Se não fosse o caso, não haveria mais esquerdista no mundo, já que a esquerda nunca conseguiu entregar bons resultados.

O calcanhar de Aquiles de Israel em particular, e do Ocidente em geral, segundo Levin, é justamente a incapacidade psicológica de se defender dos ataques de que são vítimas. Depreciando tudo aquilo que possuem de bom e enaltecendo uma visão romantizada dos inimigos, essas pessoas alimentam fantasias de que sua própria abnegação e suas concessões serão suficientes para garantir a paz. Algo análogo a uma madame achar que um olhar de carinho será suficiente para convencer o jovem marginal a não assaltá-la.

Mahmoud Ahmadinejad (1956-), o ex-ditador iraniano e quase atômico, tornava-se assim o queridinho da esquerda caviar, ao mesmo tempo em que prometia destruir tudo aquilo caro ao Ocidente e "varrer Israel do mapa". Bate mais, que eu gosto! É pura patologia, claro. Mas é um fator que não pode ser negligenciado numa análise do fenômeno. Muitos ocidentais estão aprisionados nessa mentalidade que fornece anestesia no curto prazo, mas destruição plena ao longo do tempo.

O ocidental em geral e o judeu em particular precisam romper esses grilhões emocionais e se libertar dessa zona de conforto ilusória, de que basta acenar para seus inimigos que serão deixados em paz. Reagir é fundamental para nossa sobrevivência. E é deveras importante entender melhor de onde vem tanto ódio, já que não adianta nada se sentir culpado pelo que o outro sente a nosso respeito. Por que tantos odeiam tanto Israel e o povo judeu?

O ÓDIO A ISRAEL

Imagine uma região com um único e pequeno país democrático, próspero e respeitador dos direitos individuais e femininos, em meio a vizinhos que vivem sob regimes autoritários, opressores, e que tratam as mulheres como seres inferiores. Certamente o leitor dirá que esse pequeno símbolo de bom exemplo será destacado pelos intelectuais e pela mídia do Ocidente, certo? Errado.

Israel é vítima de inúmeras calúnias, assim como um perverso julgamento com duplo padrão. O máximo que alguns se permitem, por desconhecimento dos fatos, é evitar qualquer julgamento objetivo, simplesmente colocando palestinos e israelenses no mesmo barco, adotando uma postura "neutra". Normalmente, Israel é de fato o grande alvo dos ataques, principalmente por parte da esquerda caviar.

Israel está longe de ser um país perfeito. Aliás, perfeição não existe e jamais existirá, nunca é demais lembrar. Levantar a poeira da desinformação, resgatar o contexto da situação e julgar imparcialmente os envolvidos não é o mesmo que inocentar por completo um dos lados. É somente dar os devidos pesos aos fatos. Israel merece críticas, claro. Mas tem sido vítima de ataques infundados, parciais e injustos, fruto de interesses obscuros ou puro preconceito.

Como prova disso, basta citar que a Assembleia Geral das Nações Unidas em 2012 adotou 22 resoluções específicas condenatórias contra Israel, e apenas quatro sobre o resto do mundo combinado, para Síria, Irã, Coreia do Norte e Birmânia. Desde então tem sido sempre a mesma coisa: Israel é o alvo de uma atenção e de críticas completamente desproporcionais.

Segundo Dore Gold (1953-), em *Tower of Babble: How the United Nations Has Fueled Global Chaos* ["Torre de Balbuciar: Como as Nações Unidas Alimentaram o Caos Global", em tradução livre], a ONU voltou 30% de suas resoluções de direitos humanos nos últimos 35 anos para o minúsculo estado de Israel. Como concluiu Osias Wurman, falecido cônsul honorário de Israel no Rio, em um artigo publicado no jornal *O Globo*: "O ataque desproporcional da ONU contra o Estado Judeu mina totalmente a credibilidade do que seria um órgão imparcial e respeitado internacionalmente".

Wurman, num artigo de 2014, resume as principais dificuldades de um acordo entre Israel e Palestina mediado pela ONU:

> O Estado de Israel é a única e verdadeira democracia no Oriente Médio. Parece-nos que, cada vez que os palestinos chegam a uma encruzilhada, onde é necessário tomar decisões importantes e, muitas vezes, difíceis, eles preferem dar um passo para trás e deixar passar mais uma oportunidade de alcançar um acordo com Israel. [...] A pergunta que não cala: estão os palestinos verdadeira e sinceramente com vontade de atingir a paz com Israel? Estão eles abertos a reconhecer Israel como o lar nacional do povo judeu?

> Estarão dispostos a deixar, definitivamente, o caminho da violência e do terrorismo?

Ele conclui:

> Vale lembrar que hoje os palestinos de fato têm dois Estados: um da Autoridade Palestina, liderado por Mahmoud Abbas, e outro na Faixa de Gaza, controlada pelo grupo terrorista Hamas. Está na hora de os palestinos começarem a pensar em termos de paz e de convivência pacífica e que, de uma vez por todas, deixem para trás a cultura de ódio e de ressentimento contra tudo e todos. É importante repetir que Israel quer a paz. Israel busca a paz. Israel está disposto a fazer muitos sacrifícios para chegar à paz. Irão deixar os palestinos passar mais esta nova chance?

Sabemos a resposta. Como, então, a ONU pode atuar como mediador entre os dois lados, sem admitir esse obstáculo? E como a ONU pode fazer algo quando vemos seus próprios líderes tomando o lado errado? Isso ficou mais do que evidente quando um ataque palestino suicida, em janeiro de 2004, matou onze israelenses e feriu quase cinquenta pessoas. Kofi Annan, falando em nome da ONU na época, adotou a postura covarde de equivalência moral, e apelou em seu comunicado para que ambos os lados tentassem se livrar do ódio e devotassem toda a sua energia à paz.

Compare essa "imparcialidade" com a declaração de Colin Powell, em nome dos americanos: "Uma vez mais, terroristas mataram pessoas inocentes". Simples, não? Como fica claro, esse tipo de evasão não é novidade.

Guterres, em nome da ONU, condenou Israel por sua reação ao Hamas em 2023, sem condenar o Hamas com veemência. Nada novo sob o sol...

Yasser Arafat (1929-2004), pouco tempo depois de seu grupo praticar atentados terroristas, foi falar na ONU vestindo uniforme militar e carregando uma pistola sob o casaco. Seu discurso foi altamente beligerante, mas ovacionado pelos presentes. Como esperar da ONU alguma imparcialidade quando o assunto é Israel? O Ocidente acovardado resolveu dar a Arafat um Nobel da Paz. Que tipo de mensagem isso transmite aos palestinos?

A primeira acusação contra Israel costuma dizer respeito ao próprio direito de existir como nação. Muitos antissemitas se escondem sob o manto do ataque apenas a Israel, e não aos judeus. Alegam ser antissionistas, não antissemitas. Mas isso é balela. Os judeus vivem naquela região há milênios. Desde 1880 que judeus europeus, em números significativos, deslocaram-se e estabeleceram-se no espaço onde hoje é Israel.

Quem aceita a Austrália como nação legítima não pode questionar a legitimidade da presença judaica onde é hoje Israel. Várias nações surgiram por decisões políticas e diplomáticas, mas Israel parece ser a única julgada como não merecedora do direito de existir.

As terras adquiridas pelos judeus no Oriente Médio não foram fruto de colonização, mas, sim, compradas, muitas vezes de especuladores árabes que viviam no Líbano. Eram terras pobres, e os compradores eram refugiados de regimes opressores, que procuravam uma nova chance em um lugar onde seus ancestrais viveram e de onde foram expulsos.

A Judeia mudou de nome para Palestina no começo da era pós-Cristo, quando os judeus foram expulsos pelos romanos. Mas a região nunca deixou de contar com numeroso contingente judaico. Muitos viviam pacificamente com os árabes, até que Maomé (c. 571-632) desferiu atrocidades contra seu novo inimigo, chegando a massacrar homens, mulheres e crianças judias.

O ato mais cruel dos muçulmanos liderados por Maomé ocorreu na batalha contra o clã Bani Qurayzah, de judeus árabes. Derrotados os judeus e condenados à morte, valas estreitas foram cavadas, sendo então um por um, dos cerca de setecentos homens, deitados e decapitados com um golpe de espada, com os corpos jogados nos buracos.

O relato consta na biografia do profeta Maomé escrita por Barnaby Rogerson (1960-). A carnificina durou o dia todo, tendo sido o último grupo executado à luz de tochas. A brutalidade desse ato espalhou ondas de choque por toda a Arábia. Uma estranha maneira, para dizer o mínimo, de se pregar a palavra de Deus.

Para aqueles que repetem que o Islã prega a paz e o amor, convém voltar às suas origens. As ordens do profeta eram claras: "Jamais podem existir duas religiões na Arábia". Outras passagens do Alcorão apagam qualquer margem a dúvidas: "Quando enfrentardes os que descreem, golpeai-os no pescoço"; "Se não sairdes para lutar, Deus vos castigará severamente e outros porá no vosso lugar"; "Onde quer que encontreis politeístas, matai-os, sujeitai-os, vencei-os, emboscai-os".

Ainda assim, Tel Aviv foi uma cidade predominantemente judaica desde a sua fundação, em 1909. O argumento de que Israel é colonizador na origem e não tem sequer o direito à existência é injusto e falso. Não se sustenta pelos fatos históricos.

A Palestina sempre foi dividida em várias partes territoriais, sendo que a maior delas era governada, de Damasco, por um paxá. Mas não se pode dizer que os palestinos habitavam uma "nação" palestina antes da criação de Israel. A edição de 1911 da *Enciclopédia Britânica* descreveu a população da Palestina como compreendendo grupos étnicos muito diferentes, falando não menos que cinquenta línguas. Eram vastas milhas sem habitação alguma, e tribos de beduínos espalhadas pela região.

Nunca houve uma união em forma de nação, criando uma Palestina única. Os judeus ocuparam, legal e pacificamente, uma pequena parcela desse vasto território, transformada em nação, por medida de segurança, após a Segunda Guerra, quando ficara evidente a inviabilidade de convivência mútua entre judeus e muçulmanos, cujos líderes haviam apoiado abertamente o nazismo de Hitler.

Já na Primeira Guerra os árabes muçulmanos lutaram, em sua maioria, ao lado dos imperialistas otomanos e, mesmo derrotados, ficaram com cerca de 80% do território. O primeiro Estado estabelecido na Palestina foi um emirado, chamado Transjordânia, exclusivamente árabe. Havia, porém, clara oposição à formação de um estado judaico, e os líderes árabes começaram a exigir a eliminação de qualquer presença judaica na Palestina. Muitos gritavam que "a religião de Maomé nasceu com a espada".

Os ocidentais, em especial os britânicos, acreditaram que a centralização do poder nas mãos de um religioso ou político facilitaria o controle da região. Amin al-Husayni

(1895-1974) foi escolhido, mas tratava-se de um antissemita virulento, com declarado ódio aos judeus. O líder dos palestinos aproximou-se de Hitler, e insistiu que sua "solução final" chegasse à Palestina, liquidando os judeus do mapa. Em 1929, ocorreu o massacre de Hebron, quando sessenta judeus foram mortos e o restante, expulso da cidade.

Em 1937, a divisão em dois Estados foi proposta, e os judeus aceitaram de imediato, enquanto os árabes rejeitaram. Demandavam que a Palestina ficasse sob total controle árabe, e que os judeus fossem transferidos para outro país. Durante o Holocausto, a suástica se tornaria um símbolo bem recebido entre muitos palestinos, e a SS daria apoio tanto financeiro como logístico aos *pogroms* antissemitas na Palestina.

Em 1944, uma unidade de comandos árabe-alemã, sob as ordens de al-Husayni, foi lançada na Palestina num esforço para envenenar os poços de Tel Aviv. Mesmo estando novamente do lado perdedor da guerra, várias vantagens seriam oferecidas aos palestinos após a queda de Hitler. Mas não era suficiente. Os judeus tinham de sumir dali, e a criação de Israel, para proteção dos judeus, nunca foi aceita.

Israel ocupa algo como 0,5% do território do Oriente Médio, em um trecho sem uma gota de petróleo. Não aceitam nem isso. Há uma charge que resume com perfeição a situação: inúmeras cadeiras do lado esquerdo, com o nome dos países todos (Líbia, Egito, Síria, Jordânia, Iraque, Irã, Arábia Saudita etc.), e um árabe gritando para um isolado judeu, sozinho do lado direito, que ele estaria sentado em sua cadeira.

Várias nações muçulmanas, lideradas pelo Egito, atacaram Israel, tendo como alvos os civis inocentes. Suas bases militares eram deliberadamente cercadas por escudos civis, para que qualquer reação israelense causasse danos a inocentes, afetando sua imagem frente à opinião pública. Apenas a perfídia impede alguém de notar a diferença moral entre alvejar expressamente civis e atingir acidentalmente civis, defendendo-se.

Em 1967, uma nova guerra contra os judeus teve início, pelas claras iniciativas de Gamal Abdel Nasser (1918-1970), que considerava a própria existência de Israel uma "agressão". Os exércitos árabes estavam aglomerados ao longo da fronteira israelense, prontos a atacar. Os planos de guerra egípcios incluíam o massacre da população civil de Tel Aviv. Israel, no entanto, derrotaria seus inimigos na Guerra dos Seis Dias, com um número de baixas civis árabes menor do que em qualquer confronto comparável.

O resultado foi a "ocupação" dos territórios invadidos em 1948 pelos países liderados pelo Egito. A pressão internacional, liderada pela URSS, era para que Israel devolvesse o território todo. Até mesmo o presidente americano esquerdista Lyndon Johnson (1908-1973) reconheceu que isso seria um convite a novos ataques contra Israel, uma recompensa pela agressão. Mas, até hoje, a esquerda caviar acusa Israel pela "ocupação", ignorando todo o contexto em que ocorreu.

Em outubro de 1973, o Egito e a Síria desfecharam ataques-surpresa contra Israel no Yom Kippur, o dia mais sagrado do ano judaico. Israel possui armas nucleares desde os anos 1960, mas jamais as usou, mesmo nessa guerra absurda. Ainda assim, acusam de genocida aquele que se defendia de forma moderada dos inimigos fanáticos, cujo único objetivo é "varrer Israel do mapa".

Israel simplesmente não pode existir. O terrorismo é adotado como prática comum para esse fim: exterminar o povo judeu. Nada menos do que isso seria aceito pelos líderes palestinos. A existência do inimigo externo, contudo, serve como escusa ao totalitarismo interno. O falecido Yasser Arafat, ídolo da esquerda caviar, não negou tal objetivo, ao declarar que sua organização terrorista, a Organização para a Libertação da Palestina (OLP), planejava "eliminar o Estado de Israel e estabelecer um Estado puramente palestino". Mereceu o Nobel da Paz em troca.

Arafat, acusado de desviar milhões de dólares da OLP, continuou: tornaria "a vida impossível para os judeus por meio de guerra psicológica e explosão populacional". Enquanto sua mulher e filha viviam confortavelmente na França, filhos de palestinos, alguns com apenas treze anos, eram mandados, pelo líder, como bombas humanas para o assassinato de crianças, mulheres e idosos judeus. Suas famílias recebiam mesada depois.

Até mesmo um deficiente físico foi jogado ao mar em um sequestro de navio pelos terroristas palestinos. Suas ações incluem bombas em sinagogas, discotecas, jardins de infância, aviões e centros comerciais. Ainda assim, a ONU recebia Arafat como um respeitado líder. O método estava funcionando, e os ataques terroristas, portanto, intensificaram-se. A Intifada de Arafat chegou ao ápice de violência simultaneamente ao pico de aprovação que ele recebia da esquerda.

O duplo padrão do julgamento internacional deixa evidente o viés antissemita. A ocupação da Palestina pela Jordânia e pelo Egito jamais foi condenada pela ONU, tampouco mereceu preocupação de grupos defensores de direitos humanos. O fato de os próprios árabes e muçulmanos serem os maiores assassinos dos palestinos nunca foi duramente criticado. É só quando Israel está envolvido que a vida dos palestinos passa a ter valor no Ocidente.

Israel é sempre o culpado. O Tibete foi tomado pela China comunista, teve boa parte de seu povo dizimada sem qualquer motivo, mas a "ocupação" de Israel na Palestina recebe infinitamente mais atenção da mídia, e a ONU jamais condenou a China.

Se Israel consegue matar um terrorista palestino em um ataque cirúrgico, a ação é classificada como "terrorismo de Estado". Até mesmo um muro construído por Israel foi condenado, comparado ao Muro de Berlim, ignorando-se a obviedade de que um tenta impedir a entrada de terroristas e o outro, a saída do próprio povo escravo.

Quando o governo de Israel criou uma linha exclusiva de ônibus para que os palestinos que trabalham no país atravessassem a fronteira, houve forte reação, e logo propuseram uma aviltante comparação com o apartheid. Curiosamente, nenhum desses "especialistas" fez a pergunta mais importante: por acaso há algum judeu trabalhando no lado palestino e gozando de proteção e segurança? Pois é...

Não adianta: qualquer ação que Israel tome para combater o terrorismo e proteger seu povo será vista como condenável. É a sua própria existência que não aceitam. A prova de que os líderes palestinos não querem de fato a paz está na oferta de Ehud Barak (1942-) feita nas conversas em Camp David, em 2000. Foi recusada por Arafat, que sequer apresentou uma contraproposta.

Os judeus cederam em praticamente todas as demandas, inclusive a de um Estado palestino com a capital em Jerusalém, o controle do Monte do Templo, a devolução de aproximadamente 95% da margem ocidental e toda a Faixa de Gaza, e um pacote de compensação de 30 bilhões de dólares para os refugiados de 1948.

O príncipe saudita Bandar (1949-) exortou Arafat a aceitar a generosa oferta, afirmando que rejeitá-la seria um crime. Arafat, entretanto, escolheu o crime, pois seu terrorismo dependia da manutenção do inimigo, do bode expiatório. Como consequência, milhares de inocentes pagaram com suas vidas essa decisão absurda, com a intensificação dos ataques terroristas que se seguiram, tática deliberada do líder palestino.

A OLP, fundada em 1964, era integrada pelo Fatah, um grupo nacionalista de esquerda; pela Frente Popular para a Libertação da Palestina (FPLP), um grupo comunista; e pela Frente Democrática para a Libertação da Palestina (FDLP), também de inclinação comunista. Esse casamento entre islamismo e comunismo não poderia, jamais, produzir algo bom, que respeitasse de fato, e não apenas no discurso, os valores democráticos.

Outra prova de que a liderança palestina não quer a paz está no próprio estatuto do Hamas, de 1988, que declara que "não há solução para o problema palestino a não ser pela jihad", a guerra santa muçulmana. Não podemos dizer ao certo quanto da população palestina aprova o terrorismo. O regime autoritário de terror impede a liberdade de expressão do povo, e somente a democracia faria com que a real intenção fosse exposta. Não obstante, pesquisas apontam para um apoio majoritário ao Hamas na Faixa de Gaza, algo assustador.

Temos de levar em conta que são anos de lavagem cerebral, colocando os judeus como o próprio demônio, que precisa ser eliminado. O terrorismo não nasceu do desespero palestino, mas é uma tática racional de seus líderes, que funciona. Combater isso com a diplomacia parece uma grande utopia. Israel, entretanto, é sempre condenado ao tentar se defender dos terroristas, que cada vez mais miram em alvos chocantes, como crianças pequenas.

O Hamas, aliás, é mais um exemplo, entre tantos, de como o fanatismo ainda encontra terreno fértil no mundo islâmico. O corajoso relato de Mosab Hassan Yousef (1978-), presente no livro *Filho do Hamas*, vem bem a calhar, pois seu ponto de vista é privilegiado. Afinal, Mosab era filho de um dos sete fundadores do Hamas, foi preso como terrorista ainda aos dezessete anos, aceitou ser espião de Israel, e acabou se convertendo ao cristianismo.

Ele viu o absurdo da lavagem cerebral contra o "inimigo mortal" bem de dentro, em sua casa, entre seus vizinhos. Mais tarde, foi obrigado a reconhecer: "Para o Hamas, o problema supremo não era a política de Israel. Era Israel em si, a existência daquele Estado-nação".

Como enfrentar um inimigo que simplesmente não aceita sua existência? Como dialogar com gente que, segundo seus próprios escritos sagrados, compara seu povo a porcos e macacos? Yousef é levado a constatar um sentimento que ele mesmo sentiu na pele, estimulado pela situação de humilhação perante o poderio israelense e pela intensa lavagem cerebral: "Para aqueles jovens [...] a luta se tornou o objetivo em si; não era mais um meio para se chegar a um fim, e, sim, um fim em si mesmo".

Israel é usado como bode expiatório, e a esquerda caviar adora sonhar com a ideia de que, não fosse a presença judaica ali, tudo seria um mar de calmaria. Que doce ilusão. O próprio Mosab, por sinal, acordou para o ridículo desse sonho:

> Perguntei a mim mesmo o que os palestinos fariam se Israel deixasse de existir, se as coisas não apenas voltassem a ser como antes de 1948, mas se todo o povo judeu abandonasse a Terra Santa e voltasse a se espalhar pelo mundo. Pela primeira vez, eu sabia a resposta. Ainda lutaríamos. Por nada. Por causa de uma garota que não estivesse usando um véu. Para saber quem era mais durão e importante. Para decidir quem ditaria as regras e quem conseguiria o melhor lugar.

Bem-vindo à natureza humana. Mas os radicais islâmicos e os nacionalistas palestinos não querem enfrentar essa realidade. Preferem seguir com a crença de que Israel é a razão de todos os seus problemas, e que precisa ser eliminado. E a "comunidade internacional", por sua vez, não aceita que Israel se defenda em meio a esse cenário absurdo.

Como diz Alan Dershowitz (1938-) em seu livro *Em defesa de Israel*, "o contexto é essencial para qualquer avaliação justa do comportamento de uma nação". Existe uma clara disposição da "comunidade internacional" de mostrar Israel como único ou "principal" violador de direitos humanos, ignorando comparações com nações que vivem situação similar, como os russos na Chechênia e os franceses na Argélia.

Um erro não justifica outro, e Israel comete os seus. Qualquer país que viva há tanto tempo sob tanta pressão, tendo que se proteger como pode, acabará cometendo abusos, perdendo parte do controle sobre seus cidadãos ou, principalmente, sobre alguns militares. Mas aquele que não analisa os fatos friamente, com imparcialidade, julga a partir de um grande preconceito. O Exército de Israel (IDF) é um dos que mais se arrisca para tentar mitigar perdas do lado adversário. Isso deveria ser reconhecido e aplaudido, mas nunca é.

Somente o ódio aos judeus explica os brados contra Israel e o silêncio sobre os demais países. Apenas a má-fé ou a ignorância justificam uma condenação unilateral a Israel, ou mesmo a relativização, nesse conflito entre palestinos e judeus. Segundo Dershowitz, "a imparcialidade em relação àqueles cujas ações não são equivalentes do ponto de vista moral é uma forma artificial de simetria imoral e perigosa".

Como colocar no mesmo patamar um povo que faz de tudo para proteger suas crianças e minimizar as perdas de inocentes do lado inimigo, e outro que tenta deliberadamente matar as crianças dos seus inimigos e usar as suas próprias como escudos humanos ou bombas? Não perceber tamanha discrepância só pode ser fruto da suspensão da razão.

O que poderia explicar esse viés contra Israel, então? O principal alvo desses esquerdistas é a única democracia estabelecida naquela região, o país com pilares culturais mais parecidos com os do Ocidente, com um respeito às mulheres longe de ser visto nos vizinhos muçulmanos, e bem mais próspero. Ataca-se, uma vez mais, o sucesso e a liberdade. É o culto do ressentimento.

Israel é um país pequeno, criado apenas em 1948, contando hoje com quase 10 milhões de habitantes. Ao contrário de seus vizinhos, não possui recursos naturais abundantes, e precisa importar petróleo. Entretanto, o telefone celular foi desenvolvido lá, pela filial da Motorola. A maior parte do sistema operacional do Windows XP foi desenvolvida pela Microsoft de Israel. O microprocessador Pentium-4 foi desenvolvido pela Intel em Israel. A tecnologia da "caixa postal" foi desenvolvida em Israel. Microsoft e Cisco construíram unidades de pesquisa e desenvolvimento em Israel. Em resumo, o país possui uma das indústrias de tecnologia mais avançadas do mundo.

O PIB de Israel, perto US$ 500 bilhões por ano, é muito superior ao de seus vizinhos islâmicos. A renda per capita é de aproximadamente US$ 50 mil, fazendo de Israel um país de classe média alta. Apesar da pequena população e da ausência de recursos naturais, as empresas israelenses exportam mais de US$ 150 bilhões por ano. O país possui a maior proporção mundial de títulos universitários em relação à população. Lá são produzidos mais artigos científicos per capita que em qualquer outro país. Possui o maior IDH do Oriente.

Segundo Niall Ferguson em *Civilização*, Israel registrou 7.652 patentes entre 1980 e 2000, comparadas a somente 367 de todos os países árabes combinados. Não custa lembrar que tudo isso foi conquistado sob constante ameaça terrorista dos vizinhos, o que forçaria um pesado gasto militar do governo. Ainda assim, o país despontou no campo científico e tecnológico, oferecendo enormes avanços para a humanidade.

E esse avanço tecnológico não se limita aos aparelhos eletrônicos voltados para lazer e trabalho. Há enormes conquistas na área médica também, como um aparelho que diagnostica câncer de estômago pelo hálito. Esse tipo de descoberta salva inúmeras vidas, inclusive de pessoas que adoram condenar Israel por todos os pecados do mundo. A beleza do capitalismo é que ele é impessoal.

Contando com cerca de 0,2% da população mundial e 2% da população americana, os judeus ganharam 22% de todos os Prêmios Nobel, 20% de todas as Medalhas Fields de matemática e 67% das medalhas John Clarke Bates para melhores economistas abaixo de quarenta anos. Os judeus ganharam ainda 38% de todos os Oscar de melhor diretor, 20% dos Prêmios Pulitzer de não ficção e 13% dos Grammy Lifetime Achievement Awards. Algum fator cultural deve explicar tanto sucesso.

Quando comparamos a realidade israelense com a situação miserável da maioria dos vizinhos, fica mais fácil entender parte do ódio que é alimentado contra os judeus. Claro que fatores religiosos pesam, assim como o interesse de autoridades islâmicas no clima de guerra. Nada como um inimigo externo para justificar atrocidades domésticas. Mas as gritantes diferenças econômicas e sociais sem dúvida colocam lenha na fogueira.

Israel não é um paraíso. Longe disso. Seu governo, como todos os governos, comete abusos que merecem críticas. Mas, perto da realidade de seus vizinhos islâmicos, o contraste é chocante. Será que isso tem alguma ligação com o ódio a Israel e o constante uso de critérios parciais na hora de julgar os acontecimentos na região?

A esquerda caviar pega o sucesso e o ambiente de liberdade e respeito às minorias existentes somente em Israel, ao menos naquela região, e transforma isso em vilania, enquanto enaltece o lado palestino, com mulheres tratadas como seres inferiores e o indivíduo como submisso (Islã, aliás, significa "submissão"). Faz vista grossa para todos esses defeitos dos países muçulmanos, enquanto joga uma lupa para os mínimos problemas em Israel.

A maior pesquisa de opinião já realizada com muçulmanos de vários países, feita pelo Pew Research Center, constatou que mais da metade gostaria de viver sob a *sharia*, a lei islâmica. Impressionantes 85% pensam que as mulheres devem sempre obedecer a seus maridos, 80% consideram o consumo de álcool imoral e 90% consideram a homossexualidade imoral. João Pereira Coutinho (1976-), em uma coluna da *Folha de S.Paulo*, escreveu sobre o estudo na época de sua publicação:

> Conclusões? Não, não existe uma relação imediata entre o Islã e o terrorismo, exceto na cabeça dos terroristas (fato a que somos alheios). Mas, por outro lado, este magistral estudo mostra como as vagas de modernidade que permitiram as liberdades do Ocidente – da reforma religiosa ao iluminismo secular – ainda não chegaram ao Islã. E, sem elas, será difícil resgatar essas sociedades do autoritarismo, da pobreza, da intolerância – e, em certos casos, dos extremistas que matam em nome da fé.

Existem islâmicos que tentam reformar sua religião, modernizar sua cultura. São corajosos, pois enfrentam riscos enormes de vida. É o caso de Ayaan Hirsi Ali (1969-), exilada somali que critica o fundamentalismo islâmico e luta pelos direitos da mulher muçulmana. Ela recentemente se converteu ao cristianismo, pois concluiu que o ateísmo ocidental não dá conta do recado para enfrentar essa ameaça civilizacional.

Ayaan fez, junto com o cineasta Theo van Gogh (1957-2004), o filme *Submissão*, sobre a situação da mulher muçulmana. Theo foi morto a tiros em Amsterdam por um marroquino, que o degolou e lhe cravou no peito uma carta, anunciando que Ayaan seria a próxima vítima. Sua história está relatada na imperdível biografia *Infiel*, mostrando que não é brincadeira de criança desafiar o atraso islâmico. Eis o relato que faz dos tempos de criança na Arábia Saudita:

> Na Arábia Saudita, tudo de ruim era atribuído aos judeus. Se o ar-condicionado encrencasse ou se faltasse água subitamente, as vizinhas diziam que era por culpa dos judeus. As crianças aprendiam a rezar pela saúde dos pais e pela destruição dos judeus. Depois, quando começamos a ir à escola, os professores desfiavam, demoradamente, as malvadezas que os judeus tinham feito e pretendiam fazer com os maometanos.

Pergunto: o que esperar de um povo "educado" dessa forma? Os judeus se tornam os bodes expiatórios para todo tipo de problema, alimentando na população islâmica um desejo de vingança absurdo. A intensa lavagem cerebral não poupa ninguém, e começa muito cedo. Lutar contra isso, para os poucos que acordam, é extremamente arriscado.

Para dificultar ainda mais, esses reformadores não contam com o apoio dos intelectuais e artistas da esquerda caviar aboletados no conforto ocidental. Ao contrário: essa elite costuma elogiar justamente os líderes radicais do Islã que mantêm o povo escravizado e que procuram uma guerra santa contra o Ocidente.

Assim como o fascismo e o comunismo, o islamismo trata o indivíduo como um meio sacrificável pelo "bem" coletivo. Seu denominador comum é a busca por um paraíso que, para ser alcançado, precisa destruir seus inimigos antes. Das cinzas, tal como a Fênix, um novo mundo perfeito renascerá, apenas para os escolhidos ou convertidos. Ayaan diz sobre sua antiga religião:

> O profeta Maomé procurou legislar sobre cada aspecto da vida. Ao aderir à sua noção do permitido e do proibido, nós, muçulmanos, renunciamos à liberdade de pensar e de agir por livre escolha. Fixamos a visão moral de bilhões de seres humanos na mentalidade do deserto árabe do século VII. Não éramos apenas servos de Alá, éramos escravos.

Essas ideologias abraçam verdadeiros cultos da morte, e toda a celebração pela vida é condenada. A dança, o álcool e a diversão são vistos como pecaminosos, o caminho para o inferno. Hugh Johnson (1939-), em *A história do Vinho*, conta que um discípulo do profeta, natural de Meca, pôs-se a declamar um poema nada lisonjeiro sobre a tribo de Medina. Diante disso, outro discípulo apanhou um osso e assentou-o na cabeça do declamador irreverente. Maomé não gostou da cena e perguntou ao Altíssimo como deveria agir para manter seus discípulos na linha. Logo veio a resposta, por intermédio do próprio Maomé:

> Fiéis, o vinho e os jogos de azar, os ídolos e as flechas divinatórias são abominações criadas por Satanás. Evitai-os para que possais prosperar. Por meio do vinho e do jogo, Satanás procura instigar a inimizade e o ódio entre vós e afastar-vos da lembrança de Alá e de vossas preces. Não vos abstereis de tais coisas?

Os vinhos foram então, pelo que dizem os estudiosos islâmicos, despejados nas ruas. "Assim", conclui Johnson, "uma das principais características do estilo de vida muçulmano deveu-se a uma briga (que pode ter sido ou não entre bêbados)". O fiel que transgredir essa regra pode levar até oitenta chibatadas. Enquanto outras culturas tinham deuses para o vinho, como Baco, ou Dionísio, os muçulmanos o enxergam como obra de Satanás.

Como disse Karl Kraus (1874-1936), "que são todas as orgias de Baco comparadas à embriaguez daquele que se entrega sem freio à abstinência"? Roger Scruton (1944-2020) chegou a escrever um livro sobre a importância do vinho na cultura ocidental, que considera um lubrificante para a sociedade. A bebida social serve para quebrar o gelo e unir estranhos, para descontrair, para suavizar o convívio.

Mas divago. O fato é que o Islã alimenta esse fundamentalismo que tolhe completamente a liberdade individual, o foco na felicidade de cada um, aqui nesta vida. O aiatolá Ruhollah Khomeini (1902-1989) chegou a declarar que não existiam piadas no Islã. Uma civilização que não consegue rir de si mesma está doente, em perigoso estágio de declínio. Toma tudo como grave ofensa, não tem jogo de cintura, e assim perde um fundamental método crítico. Não muito diferente da ideologia *woke*, convenhamos. Como disse Henri Bergson (1859-1941) em *O Riso*:

> Pelo medo que inspira, o riso reprime as excentricidades, mantêm constantemente vigilantes e em contato recíproco certas atividades de ordem acessória que correriam o risco de isolar-se e adormecer; flexibiliza enfim tudo o que pode restar de rigidez mecânica na superfície do corpo social. O riso, portanto, não é da alçada da estética pura, pois persegue (de modo inconsciente e até imoral em muitos casos particulares) um objetivo útil de aperfeiçoamento geral.

Pobre da sociedade que não sabe rir de si própria. Nela, o mártir é visto como o grande herói. O soldado comunista que morre pela causa, o jovem fascista que está disposto ao sacrifício em nome do todo, o terrorista que se explode pela jihad, esses são os ícones da luta insana contra o indivíduo e sua liberdade. É preciso destruir antes para construir depois.

Essa inclinação pela morte não é novidade no Islã. Na Idade Média, uma seita de fanáticos assassinos surgiu no Irã e se espalhou pelas montanhas sírias e libanesas. A fama do grupo se alastrou até o mundo cristão, que ficou surpreso com a fidelidade de seus membros, mais até que com sua ferocidade. Seu líder, conhecido como o Velho da Montanha, possuía cerca de 60 mil seguidores, segundo alguns relatos da época especulavam.

Para Bernard Lewis (1916-2018), especialista no Islã e autor de *Os Assassinos*, os paralelos dessa época com a atualidade são incríveis. A maioria dos alvos da seita era formada por muçulmanos, muitas vezes autoridades estabelecidas. Quando o Velho tinha de matar algum príncipe, escolhia um dos jovens seguidores e dizia: "Vai tu e mata Fulano; e, quando retornares, meus anjos te levarão para o paraíso. E, se acaso morreres, não obstante, ainda assim enviarei meus anjos para carregar-te de volta para o paraíso".

Conta-se que o Velho oferecia haxixe como entorpecente para seus jovens seguidores. Ele fazia-os acreditar no seu poder de lhes oferecer o paraíso, e isso possibilitava que os assassinos enfrentassem qualquer perigo. A crença, por meio do fanatismo religioso, inspirava os atacantes até o momento da morte. Lewis explica que "sua religião, cada vez mais, adquire as características mágicas e emocionais, as esperanças milenares e de redenção, associadas aos cultos dos desapossados, dos destituídos de privilégios e dos instáveis".

Como podemos ver, os fundamentalistas islâmicos modernos são os herdeiros desses assassinos. A Al-Qaeda de Osama bin Laden (1957-2011), o ISIS na Síria e o Hamas em Gaza se assemelham em vários aspectos à essa seita. Claro que a culpa em si reside no fanatismo, mas não é possível negar que a religião fornece os pretextos adequados. O próprio Lewis escreve, em *A Crise do Islã*, que, "segundo a lei islâmica, está de acordo com as escrituras fazer guerra contra quatro tipos de inimigos: infiéis, apóstatas, rebeldes e bandidos". A jihad é uma obrigação religiosa.

A maioria dos terroristas islâmicos não é formada por miseráveis. O próprio Bin Laden vinha de família extremamente rica. Os líderes do Hamas vivem em hotéis luxuosos no Catar. Muitos de seus seguidores são pessoas que foram educadas, inclusive no Ocidente. Mais da metade dos terroristas suicidas da Palestina frequentaram uma faculdade.

Não estão em busca de "justiça social"; não são os "oprimidos" da cartilha marxista, não disputam territórios. Agem por fanatismo religioso, alimentado por um profundo senso de alienação, de humilhação, de culpa por seus privilégios e desejos em uma sociedade que condena totalmente tais desejos e impulsos.

Bernard Lewis afirma que "a maior parte dos muçulmanos não é composta de fundamentalistas, e a maior parte desses não é terrorista, mas a maior parte dos terroristas atuais é muçulmana e tem orgulho de se identificar como tal". E eu acrescentaria: sob o entusiasmado apoio de boa parte da esquerda caviar no Ocidente.

AS ORIGENS DA JUDEOFOBIA

Como vimos, o antissemitismo pode ter mais de uma causa, pode ser um fator mais econômico alimentando a inveja, pode ser a busca de um bode expiatório numa narrativa dicotômica de oprimidos e opressores, pode ser oportunismo no jogo de poder doméstico. Mas um fator que não pode ficar de fora é o próprio judaísmo. Muitos tentam explicar essa judeofobia sem levar em conta... o judeu. Não é o que faz Dennis Prager (1948-), um judeu norte-americano e criador da Prager University. Eis um texto dele importante para nossa reflexão:

> Nós vivemos em um mundo mau. Não é nenhuma novidade. O mundo anda muito ruim desde que foi inaugurado. Foi por isso que Deus o destruiu e recomeçou do zero (com um espetáculo iniciando a nova experiência, é preciso dizer).
>
> A partir de uma perspectiva moral, observem o mundo desde o ano 2000. A Coreia do Norte continua a ser um país que é, inteiro, essencialmente, um enorme campo de concentração. O Tibete, uma das culturas mais antigas da humanidade, continua ocupado e sendo destruído pela China. A Somália não existe mais enquanto país. Trata-se de um Estado anárquico em que o mais cruel e o mais forte (geralmente o mesmo) prevalece. No Congo, entre 1998 e 2003, cerca de 5,5

milhões de pessoas foram mortas – quase o mesmo número de judeus que morreram no Holocausto. Na Síria, cerca de 150 mil pessoas foram mortas nos últimos três anos e milhões perderam os lares. No Iraque, quase toda semana vemos assassinatos em massa causados por bombas terroristas[4]. No México, desde 2006, aproximadamente 120 mil pessoas foram mortas nas guerras do tráfico travadas no país. O Irã, uma ditadura teocrática que defende o genocídio, está prestes a conseguir fabricar armas nucleares. Comunidades cristãs no Oriente Médio são aniquiladas; o massacre de cristãos é rotina na Nigéria.

É claro que o século XX foi ainda mais sangrento, mas estamos apenas no começo do século XXI. Não obstante, mostrar o quanto o mundo é terrível para com tantos habitantes não é meu objetivo. O que quero demonstrar é que, apesar de tanta maldade e sofrimento, o mundo concentrou maciçamente a atenção nos supostos malfeitos de um país: Israel. O que torna tal fato tão digno de nota é que Israel está entre os países mais humanitários e livres do planeta. E, o que é pior, é o único país do mundo sob ameaça de aniquilação.

Este é o único caso da História em que os povos dos países livres tomaram as dores de um Estado policial contra um Estado livre. É impossível apontar qualquer outra ocasião na História Moderna – a única ocasião histórica em que existem sociedades livres – na qual, em uma guerra entre um Estado livre

---

[4] Agora, uma ordem para mutilação genital feminina também em massa está em vigor no tal califado. (N. T.)

e um Estado policial, o Estado livre foi considerado o agressor. É porque uma situação como a de Israel e dos inimigos do país nunca ocorrera antes. A questão é, claro, por quê?

Por que em uma época na qual um shopping center do Quênia é bombardeado, na qual terroristas islâmicos massacram cristãos na Nigéria e milhares de pessoas morrem na Síria, o mundo está preocupado com uns seiscentos palestinos mortos como resultado direto de lançarem milhares de mísseis com a intenção de matar tantos israelenses quanto possível? Por que essa obsessão contra Israel desde a fundação do país e, em especial, desde 1967?

Não pode ser ocupação. A China ocupa o Tibete e o mundo não presta a menor atenção. E a criação do Paquistão, que ocorreu ao mesmo tempo da criação de Israel, deu origem a milhões de refugiados muçulmanos (e hindus). Mesmo assim, ninguém presta atenção ao Paquistão, tampouco.

Há apenas duas explicações para essa anomalia moral. A primeira é uma predileção quase mundial pelos valores e ideias esquerdistas. Segundo esse viés de pensamento, os ocidentais estão quase sempre errados ao combater países ou grupos do Terceiro Mundo; e a parte mais fraca, especialmente se não for ocidental, é quase sempre rotulada de vítima quando combate um grupo ou país mais forte, em especial se este for ocidental. O esquerdismo substituiu o "bem e mal" por "rico e pobre", "forte e fraco", e "Ocidental (ou branco) e não Ocidental (ou não branco)". Israel é rico, forte e ocidental; os palestinos são pobres, fracos e não ocidentais.

A única outra explicação possível é Israel ser judeu. Não existe qualquer outra explicação racional, pois a ideia fixa e o ódio por Israel não são racionais. Israel é um país particularmente decente. É um país pequeno, mais ou menos do tamanho de Nova Jersey e menor que El Salvador; e enquanto existem mais de cinquenta países muçulmanos, existe apenas um país judeu. Israel deveria ser admirado e apoiado, não odiado a ponto de existirem dúzias de países cujas populações querem ver Israel aniquilada, o que, mais uma vez, é um fenômeno singular. Nenhum outro país do mundo jamais foi escolhido para ser exterminado.

Por mais difícil que seja para as pessoas modernas e pouco religiosas aceitarem, o judaísmo de Israel é a razão maior para o ódio a ele dedicado. Ironicamente, este fato, bem como a obsessão pelos judeus antes da existência de Israel, confirma para este observador o papel divino que os judeus desempenham na História. Poucos judeus se dão conta desse papel e um número ainda menor o deseja. Mas, a não ser pela influência da esquerda, não há outra explicação para a animosidade contra Israel.

Dennis Prager aprofundou-se nesse tema com Joseph Telushkin (1948-), o rabino autor de *Jewish Wisdom* ["Sabedoria Judaica", em tradução livre], no excelente livro que recomendo a todos, *Why the Jews?* ["*Por Que os Judeus?*", em tradução livre], em que os autores procuram explicar a razão do antissemitismo milenar. Para tanto, refutam tentativas modernas de explicar o fenômeno, que negam o fator intrínseco ao judaísmo e partem para motivos exógenos, alegando causas sem ligação com a própria religião.

Para eles, as teses de bodes expiatórios não se sustentam, pois o ódio aos judeus é singular. Outros grupos já foram alvos desse ódio, mas nenhum foi tão permanente, universal e profundo como o antissemitismo. Pensamos no Holocausto como a mais recente e mais nefasta expressão desse ódio, mas ele está longe de ser um caso isolado. Ao menos em três ocasiões, nos últimos 350 anos surgiram campanhas de aniquilação dos judeus: os massacres no Leste Europeu em 1648-1649, o próprio nazismo e as tentativas de destruir o Estado de Israel por seus inimigos árabes.

Os acadêmicos buscam respostas nos fatores econômicos, na necessidade de bodes expiatórios, no ódio étnico, na xenofobia, no ressentimento gerado pela influência e sucesso profissional dos judeus, etc. O único fator que não usam para explicar o fenômeno é o próprio judaísmo e o que ele representa. Causas econômicas, como na Alemanha, podem explicar o fermento do ódio, mas não as câmaras de gás. A inveja do sucesso de muitos judeus pode colocar lenha na fogueira, mas não explica o ódio a todos os judeus, inclusive aos pobres, perseguidos em várias épocas e locais.

Para Prager e Telushkin, essas tentativas de retirar o judaísmo da judeofobia são um equívoco. O ódio aos judeus, segundo eles, existe porque são judeus e pelo que isso representa. Quando judeus se tornavam cristãos, obrigados ou não, deixavam de ser atacados. À exceção do nazismo, que tentou eliminar todos os judeus com base na origem étnica, os demais casos perseguiam os judeus enquanto permaneciam judeus, mas não se importavam com convertidos.

Os judeus afirmam que existe apenas um Deus para toda a humanidade, o que implica ilegitimidade para todas as demais crenças; acreditam que são o "povo escolhido", o que costuma despertar ressentimento; e defendem o monoteísmo ético, ou seja, fazem demandas morais que historicamente sempre foram motivo para tensões com outros povos. Para os autores, não é possível negar tais fatores na origem da judeofobia.

Além disso, os judeus foram sempre bem-educados, pois sua religião sempre foi disseminada pela palavra, e enquanto o clero católico gozava de privilégios e os protestantes eram, em boa parte, analfabetos, os judeus apresentavam as maiores taxas de alfabetização. Suas famílias, até por suas crenças, mostraram-se historicamente mais estáveis. A solidariedade entre eles sempre foi maior do que a média. Tudo isso ajudou a produzir uma qualidade de vida melhor entre os judeus, mas provocou hostilidade e inveja em muitos povos.

Ou seja, os autores vão buscar na origem do judaísmo e no que ele representava as causas da judeofobia. Ao representar uma ameaça aos valores principais e às crenças alheias, os judeus despertaram um ódio universal e profundo. Os quatro componentes básicos do judaísmo – Deus, Torah, Israel e o povo escolhido – desafiaram os deuses, as leis e as culturas dos demais povos.

Um fator básico da judeofobia seria, portanto, a rebelião contra esse monoteísmo ético, aqueles mandamentos que proíbem vários atos e impõem uma autoridade moral suprema. Em sociedades e culturas mais relativistas e permissivas, essa sombra moral pode ser insuportável. Ao obedecer aos mandamentos supremos, os judeus também poderiam entrar em conflito com certas leis estatais consideradas injustas. Os romanos, por exemplo, não admitiam que um padrão externo ao seu governo fosse adotado como métrica para a conduta.

Qualquer grupo agindo de forma diferente da maioria já pode ser alvo de hostilidade. O fato de que os judeus raramente eram "fracassos sociais", e, sim, o contrário, ou seja, sua singularidade costumava resultar em mais estabilidade e progresso, fez com que tal hostilidade apenas aumentasse. Suas práticas provocaram antipatia nos demais. Em geral, os judeus apresentam taxas menores de alcoolismo ou uso de drogas e agressão às esposas, níveis mais altos de educação, sucesso profissional, solidariedade comunitária forte (*tzedaka*, "caridade" em hebraico, significa também "justiça", e é uma obrigação, um dever de todo judeu) e menos crimes violentos.

Todo crente se julga um "escolhido", e esse fator do judaísmo não precisaria despertar tanto rancor nos demais, não fosse esse sucesso relativo dessa minoria diferente. É análogo ao que ocorre com os americanos no mundo moderno. Sua visão de "farol da liberdade" e líder dos países democráticos desenvolvidos gera revolta em muitos, especialmente porque os Estados Unidos são mesmo isso. Graças a eles a Europa foi salva do fascismo, do nazismo e do comunismo, por exemplo. Os americanos são diferenciados como nação, e isso produziu resultados melhores, o que costuma ser insuportável para muitos.

Não é por acaso que o antissemitismo, muitas vezes disfarçado de antissionismo, costuma ser pregado pelos mesmos que adoram atacar os Estados Unidos. Não tem nada a ver com se julgar um povo ou uma nação superior, como os arianos nazistas, e, sim, abraçar uma crença, um código moral e um comportamento vistos como moralmente superiores, e ter o respaldo dos fatos depois. Não é algo inato, genético, pois qualquer um pode endossar as mesmas leis morais. E não se trata de um privilégio arrogante, e, sim, de um fardo imposto. Muito mais fácil é repetir, com os relativistas, que todos são iguais independentemente dos seus atos, e que não existe nada melhor ou pior no mundo, uma defesa lamentável do que há de pior por aí.

Em resumo, ao se diferenciar como povo e adotar uma postura de "escolhido" que segue um mandamento moral superior de seu Deus, o único existente, os judeus já estariam sujeitos à hostilidade dos demais. Quando essa singularidade se traduz em maior sucesso social, parece natural que a inveja, presente nos seres humanos de forma atávica, floresça e leve até mesmo ao ódio. Não é apenas o sucesso em si, pois, preservando a analogia com o antiamericanismo, outros países são ricos também, mas poucos estão dispostos a lutar com tanto afinco por seus valores diferenciados e defendê-los com clareza moral. É essa postura que tanto incomoda. Não a do fanático intransigente que, no fundo, é um inseguro e precisa destruir os outros; mas, sim, aquela de quem sabe lutar pelo que é certo.

O livro segue relatando os diferentes tipos de antissemitismo e todas as evidências históricas. Foca o antissemitismo cristão, especialmente no passado, até porque foi insuportável que uma seita religiosa nascida dos judeus não tivesse deles aprovação, pois o judeu Jesus não fora aceito pelo povo judeu como Deus em pessoa. Fala do antissemitismo islâmico, do secular no Iluminismo, do esquerdista, do nazista e do moderno, disfarçado de antissionismo, como se os judeus não fossem o alvo, mas somente sua nação Israel. Termina com algumas sugestões do que pode ser feito para mitigar tal antissemitismo no mundo.

Insisto na recomendação dessa leitura para quem se interessa pelo assunto. E todos deveriam se interessar, pois o antissemitismo nunca fica limitado aos judeus. Começa com eles, pelos motivos listados acima, mas justamente por representar um ataque a esse monoteísmo ético por parte de relativistas e invejosos, costuma terminar com um ódio mais generalizado a tudo que a civilização representa, contra tudo o que significa um desafio moral mais elevado.

O POVO DO LIVRO

Já vimos alguns dados que destacam o relativo sucesso israelense. O que faz do judeu em geral um povo próspero, apesar de todo tipo de obstáculo? Diante desses dados, o leitor pode concluir que os judeus fazem parte de um grande complô mundial, uma conspiração planetária que os coloca no domínio de tudo, como queriam os antissemitas que produziram *Os Protocolos do Sábio de Sião*; ou então que eles possuem uma inegável superioridade genética. Não aprecio nenhuma das duas alternativas, e fico com uma terceira, mais plausível: o ambiente cultural do judaísmo é um fator de diferenciação que abre certa vantagem na hora de competir no mercado.

E o que justificaria tal vantagem? Que segredo cultural seria este? Um livro do escritor israelense Amós Oz (1939-2018), escrito com sua filha, a historiadora Fania Oz-Salzberger (1960-), oferece uma boa dica. Em *Os Judeus e as Palavras*, os autores mergulham no grande legado do judaísmo, que não seria apenas ou principalmente religioso, muito menos genético, e, sim, cultural. No princípio era o verbo, e desde então também. O conteúdo verbal, transmitido de geração em geração, é o que forma esse *continuum* único, que sempre serviu como cola para unir os hebreus e lhes transmitir certas características interessantes.

Vale notar que os autores são judeus seculares, e com viés de esquerda quando o assunto é política. Isso não os impediu de defender a tradição, a importância da Bíblia judaica como fonte de valores, alegorias e mitos fundadores. Ao mesmo tempo em que buscam no legado das palavras de antepassados a inspiração para explicar a continuidade judaica, reconhecem que uma das características mais marcantes desse legado é justamente a ousadia de questionar, de inovar, e isso faz toda a diferença. Não só os judeus foram historicamente mais alfabetizados, por depositar grande importância na palavra, como eram questionadores e adoravam um bom debate.

"Nenhuma civilização antiga pode oferecer um paralelo comparável em intensidade com a insistência do judaísmo em ensinar os jovens e inculcar neles as tradições e costumes de seu povo", escreveu Mordecai Kaplan (1881-1983). Não apenas os ricos, mas todos os jovens eram colocados em contato com a palavra escrita, e numa idade bastante tenra. E mais: eles aprendiam desde cedo a perguntar, questionar. No Talmude, uma opinião inteligente de um jovem às vezes prevalecia sobre a de seu mestre. Um bom aluno deve ser livre para criticar seu mestre. No judaísmo, os alunos eram encorajados a se erguer contra o professor, discordar dele, tentar provar que ele estava errado.

"Uma descendência informada é a chave para a sobrevivência coletiva", escrevem os autores. Como povo exilado, os judeus compreenderam cedo que precisavam transmitir a memória nacional em forma de textos, o que permitiu esse foco na educação. Além disso, as histórias hebraicas presentes nesses textos não eram somente morais ou religiosas, mas também legais. Versavam sobre detalhes da vida no cotidiano, suas personagens, ainda que fictícias (ou não), eram indivíduos com problemas reais. Regras de conduta eram assim transmitidas.

Enquanto outras culturas tratavam as crianças como "puras", vendo inocência na ignorância, os judeus eram mais realistas e sabiam que crianças não eram anjos, e que precisavam ser educadas. Os judeus valorizam a erudição. Não há *sancta simplicitas* para eles. Era preciso "passar a tocha" intelectual para a próxima geração, para que a mensagem pudesse sobreviver, assim como os valores e costumes. Essa educação baseada em perguntas era espirituosa, tratava de ideias, encorajava a curiosidade e exigia leitura.

"A propensão a discutir e o humor geram aquele outro traço judaico, a irreverência", afirmam os autores. A palavra *chutzpá* captura bem essa ideia. Nem mesmo o Todo-Poderoso ficou livre dessa irreverência, dos questionamentos, cobranças ou mesmo humor. "Não só não existe Deus, mas tente conseguir um encanador no fim de semana", disse o sacrílego judeu Woody Allen (1935-), herdeiro dessa tradição. Mas não pense que está só ou é um caso isolado. Quando um repórter da BBC perguntou a um rabino de Jerusalém qual a sensação de rezar pela paz entre judeus e árabes no Muro Ocidental (das Lamentações) nos últimos trinta anos, ele respondeu: "É como falar com um muro de tijolos".

Apesar de patriarcal ou mesmo machista, como todas as civilizações antigas, o judaísmo antigo dava um crédito enorme às mulheres. A Bíblia é repleta de mulheres fortes, poderosas, ativas, vocais e individualizadas, que fazem a diferença. Ninguém vai sustentar que as meninas eram tratadas como os meninos, mas poucas culturas abriram tanto espaço para a educação feminina. "E assim, quando as universidades abriram seus portões havia muito fechados, tanto para judeus quanto para mulheres, elas estavam mais que prontas", argumentam os autores. Não por acaso as judias despontaram em várias áreas no século XX.

"As palavras eram suas catedrais", dizem de forma poética pai e filha no livro. Eram histórias de indivíduos, sem deixar de lado a importância do coletivo, e sem valorizar o martírio ou a morte, e, sim, a vida e a sobrevivência, até porque os judeus já tinham sofrido o suficiente com o exílio e as perseguições. Isso alimentava a esperança, o desejo de superação, e tudo por meio da educação formal, da leitura dos livros sagrados. Foi assim que os judeus preservaram sua civilização, mas uma civilização viva, aberta ao questionamento, ao novo, com disputas infindáveis de diferentes interpretações. Bastam três judeus para termos quatro opiniões diferentes, diz a "piada".

Se há uma razão para o relativo sucesso dos judeus, talvez a explicação esteja aí: nessa obsessão pela palavra, nesse incrível legado transmitido por meio da educação. O Povo do Livro, como é dito. No princípio era o verbo. E desde então continua sendo...

O CULTO AO MULTICULTURALISMO

Para compreender melhor o ódio a Israel e, por tabela, ao Ocidente, faz-se necessário analisar com mais atenção o fenômeno do multiculturalismo. Vimos que o típico esquerdista caviar condena os Estados Unidos e Israel por quase todos os males do mundo. O passo lógico seguinte é enaltecer as demais culturas, valorizar os outros povos para que a civilização judaico-cristã, representada por esses dois países, não seja vista como mais avançada.

O multiculturalismo atende perfeitamente a esse anseio. Caracteriza-se pela completa suspensão do julgamento objetivo sobre as culturas. Ninguém pode mais analisar com alguma imparcialidade hábitos, costumes e leis dos povos. Fazer isso é ser um etnocentrista, um elitista arrogante, um preconceituoso, praticamente um nazista.

Curiosamente, a esquerda só se lembra disso para falar daquelas culturas mais atrasadas e bárbaras, pois, no momento em que o próprio Ocidente está no banco dos réus, as críticas são violentas. Mas temos de perguntar: quando um pai corta o rosto de seu filho ainda bebê e o deixa todo ensanguentado, tudo para "demonstrar" sua fé em Alá, estamos diante de algo "apenas diferente" ou da barbárie? Cortar o clitóris de meninas, obrigar as mulheres a usar burca ou apedrejá-las por adultério são "apenas" diferenças culturais? Vejam o relato de Ayaan Hirsi Ali, presente na biografia *Infiel*, já mencionada:

> Na Somália, como em muitos outros países africanos e do Oriente Próximo, as meninas são purificadas mediante a ablação da genitália. Não há outro modo de descrever esse procedimento, que costuma ocorrer por volta dos cinco anos de idade. Uma vez escavados, raspados ou, nos lugares mais benevolentes, simplesmente cortados ou extraídos o clitóris e os pequenos lábios da garota, geralmente toda região é costurada de modo a formar uma grossa faixa de tecido, um cinto de castidade feito da própria carne da criança. Um pequeno orifício no lugar adequado permite um fino fluxo de urina. Só com muita força é possível alargar o tecido cicatrizado para o coito.

Ayaan foi uma que sofreu isso na pele, com apenas cinco anos. Apenas diferença cultural ou atraso, barbárie? Perdemos a capacidade de julgar? O ex-presidente Barack Obama (1961-) chegou a rejeitar a ideia de que as mulheres que "escolhem" usar burca são menos iguais que as outras. Um ato de muita "coragem". Resta perguntar o que pensa das mulheres islâmicas que decidem não usar a burca em certos locais. Muitas acabam espancadas ou marginalizadas. E não só no Iêmen, como no próprio Ocidente.

O caso de Ayaan é um dos exemplos de sucesso de assimilação. Ela foi capaz de absorver os valores ocidentais, tornando-se inclusive deputada na Holanda. Mas os multiculturalistas pregam o contrário: a segregação, com a desculpa de preservar os valores de suas culturas ou crenças anteriores. Ayaan explica como isso fracassou na Holanda, o que serve para os demais países também:

> O multiculturalismo holandês – o respeito pelo modo islâmico de fazer as coisas – não dava certo. Deixava muitas mulheres e crianças despojadas de direitos. O país tentava ser tolerante em nome do consenso, mas esse consenso era oco. Preservava-se a cultura dos imigrantes à custa das mulheres e das crianças e em detrimento da integração dos próprios imigrantes. Muitos maometanos se recusavam a aprender holandês e rejeitavam os valores de tolerância e liberdade pessoal.

Hoje há muitos holandeses cientes do erro e tentando reverter o multiculturalismo. Espera-se que consigam. Aqueles que não estão convencidos da urgente importância disso deveriam ler o relato de outro muçulmano, Ibn Warraq (1946-), presente no livro *Why the West is Best: A Muslim Apostate's Defense of Liberal Democracy* ["Por Que o Ocidente É Melhor: A Defesa da Democracia Liberal por um Apóstata Muçulmano", em tradução livre], uma defesa da democracia liberal do Ocidente.

O autor procura desfazer o estrago causado por intelectuais do próprio Ocidente, como Susan Sontag (1933-2004), Edward Said (1935-2003) e Noam Chomsky (1928-), que ajudaram a disseminar o relativismo moral e o multiculturalismo, que minaram os principais valores ocidentais. Para ele, o relativismo cultural no Ocidente desencoraja julgamentos interculturais, impedindo, assim, a reforma das injustiças do mundo e inibindo a defesa da civilização ocidental.

A esquerda caviar gosta de destacar o multiculturalismo como um valor em si, e se especializou em atacar os valores de sua própria cultura mais avançada. Quando os imigrantes praticam delitos, é culpa do Ocidente, que choca seus valores. E, quando alguma atrocidade é cometida por ocidentais, isso é prova de seu "atraso". Aqui, como alhures, o duplo padrão sempre estará presente. Cito Mark Steyn (1959-), em *After America: Get Ready for Armageddon* ["Depois da América: Prepare-se para o Armagedom", em tradução livre], pois seu alerta pessimista parece bastante pertinente:

> Na verdade, o culto do relativismo absolutista é um tipo de ação afirmativa contra a sua própria civilização: em qualquer disputa entre o Ocidente ilimitadamente tolerante e um Islã altamente intolerante, a culpa deve ser do primeiro por ser insuficientemente tolerante com a intolerância do último. Uma sociedade liderada por homens com um tal impulso autodestrutivo vai ter o seu desejo atendido, e muito em breve, e merecidamente.

Uma cultura é, segundo a definição da *Enciclopédia Britânica*, um padrão integrado de conhecimento humano, crenças e comportamentos que são resultados da capacidade humana de aprendizagem e transmissão de informação para as gerações seguintes. Cultura consiste, então, em língua, ideias, crenças, mitos, costumes, códigos de conduta, instituições, ferramentas, técnicas, rituais, arte, símbolos. A cultura de um povo pode evoluir com o tempo.

A globalização é multicultural por essência. Culturas podem aprender umas com as outras. A mistura tende a enriquecê-las. Mas isso não é o mesmo que afirmar a igualdade entre todas. Algumas avançaram mais, conseguiram criar pilares mais civilizados, domaram um pouco a barbárie presente em todos nós. Não reconhecer isso é muita covardia moral, muita cegueira.

Thomas Sowell (1930-) é um dos pensadores modernos que se debruçaram sobre o assunto. Em sua coletânea de textos *Barbarians Inside the Gates* ["Bárbaros Dentro dos Portões", em tradução livre], lembra que o mundo sempre foi multicultural, por séculos, antes de o termo ser cunhado. Tratava-se de um multiculturalismo em um sentido prático, diretamente oposto ao que o atual culto dos relativistas culturais prega.

Como exemplos, Sowell lembra que o papel sobre o qual escreveu seu livro fora inventado na China, que as letras vieram da Roma antiga e que os números, da Índia, por intermédio dos árabes. O autor é um descendente da África, que escrevia enquanto escutava música de um compositor russo.

A razão pela qual tantas coisas se disseminam pelo mundo todo está no simples fato de que algumas coisas são consideradas melhores que outras, e as pessoas desejam o melhor para si. Essa obviedade é justamente o contrário do que o credo do multiculturalismo atual defende, alegando que nada é melhor ou pior, mas "apenas diferente".

As pessoas não "celebram a diversidade"; elas escolhem aquilo de sua própria cultura que desejam manter e aquilo que preferem abandonar em prol de algo melhor vindo de fora. Quando os índios americanos, por exemplo, viram os cavalos dos europeus, não se limitaram a "celebrar a diferença": simplesmente começaram a montar em vez de ir andando.

Na contramão do que o culto do multiculturalismo defende, as pessoas não buscam viver "em harmonia com a natureza", e, sim, obter o melhor que puderem. Eis o motivo pelo qual, desde automóveis até antibióticos, os bens demandados se espalharam pelo mundo. Não importa o que os filósofos do multiculturalismo digam, é isso que milhões de pessoas fazem, ao menos quando as barreiras estatais não as impedem.

Para Sowell, esse tipo de multiculturalismo moderno é uma dessas afetações a que algumas pessoas se permitem enquanto usufruem de toda tecnologia moderna. Normalmente não são pobres vivendo em países muito atrasados os que bradam sobre as "maravilhas" das diferentes culturas. São intelectuais de países desenvolvidos que olham com desdém para os processos que tornam possível a produção de todo tipo de conforto de que desfrutam.

Os relativistas culturais tentam logo acusar de "nazistas" aqueles que conseguem enxergar objetivamente instituições e costumes superiores – ignorando que Hitler falava em superioridade racial dos arianos, algo que seria inato, não aprendido. O conceito de raça humana sequer faz sentido científico. Já estoque de conhecimento, instituições, valores e avanços não só existem e variam muito de cultura para cultura, como uns são bastante superiores a outros.

A esquerda caviar finge não perceber que se "tudo vale", porque nenhuma cultura é superior a outra, então um povo pode alegar ter como valor supremo o extermínio de outras culturas. Com qual critério objetivo um relativista consegue julgar algo, se tudo não passa de "diferenças culturais"? Será que não percebem que até o princípio de autodeterminação dos povos é um valor parido no Ocidente e ignorado por várias culturas atrasadas?

Para Karl Popper (1902-1994), uma das componentes do irracionalismo moderno é o relativismo, entendido como a doutrina segundo a qual a verdade é relativa à nossa formação intelectual. Em outras palavras, a verdade mudaria de contexto para contexto, o que impossibilitaria um entendimento mútuo entre culturas, gerações ou períodos históricos diferentes. Eis a frase que define esse "mito do contexto", segundo Popper:

> A existência de uma discussão racional e produtiva é impossível, a menos que os participantes partilhem um contexto comum de pressupostos básicos ou, pelo menos, tenham acordado em semelhante contexto em vista da discussão.

Para Popper, esta afirmação é não apenas falsa, mas também perigosa. Se acolhida de forma generalizada, pode inclusive contribuir para o aumento da violência, minando a unidade da humanidade. Sem dúvida uma discussão entre participantes que não compartilham do mesmo contexto pode ser difícil, mas é um exagero afirmar que é impossível ter um debate proveitoso sem essa premissa. Popper vai além, e acredita que um debate entre pessoas com várias ideias em comum pode ser bastante agradável, mas talvez não seja tão proveitoso quanto um entre pessoas com pontos de vista totalmente divergentes.

O fosso existente entre contextos ou culturas diferentes pode ser ultrapassado, e essa é a tese de Popper. O próprio avanço da civilização ocidental é fruto do choque de diferentes culturas. Podemos aprender com os diferentes contextos, e podemos evoluir em nosso conhecimento acerca do mundo. O método que permite este aprendizado é o da crítica. Conforme coloca o autor, "uma das principais tarefas da razão humana é tornar o universo em que vivemos algo compreensível para nós". Essa é a tarefa da ciência. E todos os povos têm capacidade de utilizá-la.

Hegel (1770-1831) e Marx (1818-1883) foram, talvez, os mais influentes pensadores do mito do contexto. Para Marx, a ciência era dependente das classes sociais. Haveria uma ciência proletária e outra burguesa, cada qual prisioneira de seu contexto. A classe é que definiria o pensamento do indivíduo, sendo totalmente impossível um debate racional.

A falibilidade humana pode representar um perigoso atrativo para tais doutrinas. O fato de existir parcialidade em todos os seres humanos não quer dizer que uma aproximação da verdade seja inviável. O curioso é que o próprio Marx, que não era proletário, arrogava-se a capacidade de pensar por esta classe, uma gritante contradição à sua própria crença.

É evidente que o contexto pode influenciar nossos pensamentos. Mas parece claro também que os homens desfrutam da magnífica capacidade de olhar criticamente, de estabelecer um debate racional independentemente de seu contexto. Para Popper, "o relativismo cultural e a doutrina do contexto fechado constituem sérios obstáculos à disposição de aprender com os outros".

O filósofo Kwame Anthony Appiah (1954-) explicou, de forma bastante objetiva, os riscos da visão coletivista da cultura, em detrimento ao direito de livre escolha individual. Nascido em Gana, é PhD pela Universidade de Cambridge tendo lecionado em Harvard e Princeton, e é autor do livro *Cosmopolitanism* ["Cosmopolitismo", em tradução livre], em que defende que a globalização fez bem às culturas regionais. Culturas fechadas estão fadadas ao insucesso.

A população deve ter a liberdade de escolher quais produtos culturais deseja consumir. Appiah dá o exemplo das camisetas que os africanos usam, deixando de lado suas roupas coloridas tradicionais. Se as camisetas cumprem a função de cobrir o corpo e são mais baratas, que mal há em deixar as vestes tradicionais apenas para ocasiões especiais? Tirar o direito de escolha dos indivíduos em nome da "preservação cultural" beira o desumano, e normalmente quem pensa assim está longe, no conforto justamente de culturas mais liberais.

O mesmo vale para o resto dos produtos existentes. Os indivíduos devem ser livres para decidir a qual filme desejam assistir, quais músicas querem escutar ou qual comida pretendem comer. Quanto mais liberdade de mercado, com abertura para diferentes países e culturas, maior o número de opções disponíveis. A pluralidade é filha do livre mercado, não da decisão centralizada no Estado.

Appiah chama de "preservacionistas culturais" aquelas pessoas com bom padrão de vida em algum país ocidental, normalmente em constante progresso, que, no entanto, olham para as culturas diferentes e exóticas como algo interessante, bonito, que deveria ser mantido para sempre da mesma forma, estático. Mas, como ele diz, "se o costume é ruim para o bem-estar de uma grande parcela daquela população, o fato de fazer parte da cultura não é motivo para insistir no erro".

O estudo da história mostra como muitas acusações feitas ao Ocidente não passam de falácias. A ideia de que a riqueza ocidental é fruto da exploração dos países pobres não se sustenta com um mínimo de reflexão e observação dos fatos. Os países mais pobres são justamente aqueles que, até bem pouco tempo atrás, sequer tinham contato com os ricos ocidentais. Mas os fatos não importam.

A acusação de que os britânicos tiraram a borracha da Malásia, por exemplo, inverte um fato importante: foram os ingleses que levaram a borracha para lá. Segundo Peter Thomas Bauer (1915-2002), não havia seringueiras na região antes dos ingleses plantarem-nas, como o próprio nome botânico sugere: *Hevea brasiliensis*. Assim, se a Malásia se tornou importante produtora da borracha, foi possível graças aos ingleses. Como podem, então, ser acusados de exploradores nesse caso?

São justamente as nações mais isoladas do comércio ocidental que apresentam o pior quadro de miséria e fome. A noção de culpa dos países ocidentais é uma acusação originada no próprio Ocidente. O marxismo, por exemplo, partindo da crença de que as diferenças de renda são anomalias injustas, passa a ideia de exploração. A crença de que a riqueza é estática, de que a economia é um jogo de soma zero, onde para um ganhar o outro tem de perder, influenciou muito esta culpa ocidental.

Muitos observam a riqueza nesses países, e a miséria mundo afora, e concluem, sem a devida reflexão, que uma coisa só pode ser causa da outra. Essa visão é muito cômoda para os governantes dos países pobres, pois lhes enseja a desculpa perfeita à manutenção de um modelo centralizador e fechado. Os países ricos são os bodes expiatórios que justificam as atrocidades domésticas.

Na África e na Ásia, as áreas mais prósperas são aquelas que têm maior contato comercial com o Ocidente. O acesso aos países ricos foi, portanto, um dos principais agentes de progresso, não de atraso. Os aborígenes, pigmeus e povos do deserto, protegidos da "exploração" ocidental, são infinitamente mais pobres que os demais. Hong Kong, por outro lado, representa um incrível caso de sucesso e acelerada criação de riqueza. Foi colônia britânica.

Se o colonialismo não explica a pobreza do terceiro mundo, tampouco explica a riqueza ocidental. A Suíça e os países escandinavos são ricos, mas nunca tiveram colônias. A Espanha e Portugal, por outro lado, foram bem menos prósperos, mesmo com várias colônias. A União Soviética colonizou vários países, e isso não impediu seu completo fracasso. A Coreia do Norte, que se isolou do mundo, é um dos países mais miseráveis do planeta, enquanto sua irmã sulista prosperou justamente ao comerciar com o Ocidente.

Não deixa de ser curioso que muitos dos que acusam o Ocidente de explorador culpam, ao mesmo tempo, o embargo americano pela miséria cubana. No fundo, sabem que praticar comércio com os americanos não é fonte de exploração, mas, sim, de progresso.

Criticar a colonização em si, assim como a escravidão, é algo absolutamente válido. No entanto, é preciso ser honesto. O Ocidente não inventou tais práticas. Pelo contrário: já existiam muito antes do primeiro europeu considerá-las. Os maiores donos de escravos africanos eram os próprios africanos, que participaram voluntária e ativamente do tráfico.

A escravidão foi uma realidade por quase toda a existência humana, desde os gregos, os romanos, os incas e astecas, os indianos, os otomanos etc. Europeus brancos também foram escravizados por muçulmanos, que eram particularmente cruéis ao lidar com seus escravos. Existiu antes do dinheiro e da escrita, foi aceita pelas mais importantes religiões, e teve seu término decretado justamente pelo Ocidente cristão. O colonialismo é prática antiga na humanidade, e veio justamente do Ocidente o basta para tal modelo. Como defendeu Mark Steyn em *After America: Get Ready for Armageddon*:

> A principal associação do Império Britânico com a escravidão é que ele a aboliu. Até William Wilberforce, o Parlamento britânico, e os bravos homens da Marinha Real assumirem a questão, a escravidão era uma instituição considerada por todas as culturas ao redor do planeta como uma característica constante da vida, tão permanente quanto a terra e o céu.

Quando o Império Britânico colocou um fim nessa prática nefasta em quase todo o globo, ainda houve escravidão por um bom tempo... na própria África e no mundo islâmico. Alguns vão alegar que a Inglaterra fez o que fez apenas por interesses econômicos. Mesmo que fosse verdade, não retiraria o seu mérito. Mas não é verdade. Recomendo a leitura de *Enterrem as Correntes*, de Adam Hochschild (1942-), em que fica evidente a importância das ideias e valores ocidentais na trajetória de combate à escravidão.

O famoso caso do *Amistad*, de 1839, foi o primeiro no qual se apelou para a Declaração de Independência

Americana. O ex-presidente americano John Quincy Adams (1767-1848) fez uma defesa eloquente dos africanos presos: "No momento em que se chega à Declaração de Independência e ao fato de que todo homem tem direito à vida e à liberdade, um direito inalienável, este caso está decidido".

Abraham Lincoln (1809-1865) foi outro que apelou constantemente àquele texto para defender a causa abolicionista. Outro abolicionista conhecido, David Walker (1786-1830), citou, em 1823, trechos da Declaração. E Martin Luther King Jr., em seu mais famoso discurso contra o racismo, faz alusão direta ao trecho segundo o qual todos os homens são criados iguais.

Há um século, apenas o Ocidente condenava a escravidão, e, há dois séculos, somente uma pequena parcela dele o fazia. O restante convivia naturalmente com a escravidão. Foi o maior poder bélico e econômico ocidental que possibilitou a imposição da abolição em outras partes do globo. A escravidão não nasceu no Ocidente. Ela morreu graças a ele. Como diz Ibn Warraq em *Why the West is Best: A Muslim Apostate's Defense of Liberal Democracy*:

> Líderes ocidentais foram coagidos a constantemente pedir desculpas pelos pecados do Ocidente. É considerado "eurocêntrico" ou racista afirmar que o Ocidente é superior a outras culturas; em vez disso, somos encorajados a repetir que a civilização ocidental é cultural, intelectual e espiritualmente defeituosa. Mas nós sabemos que isso é um absurdo.

O autor fez um dos melhores resumos das vantagens que concedem ao Ocidente sua superioridade:

As grandes ideias do Ocidente – o racionalismo, a autocrítica, a busca desinteressada da verdade, a separação entre Igreja e Estado, o Estado de Direito, a igualdade perante a lei, a liberdade de consciência e de expressão, os direitos humanos, a democracia liberal –, juntas, constituem um grande feito, com certeza, para qualquer civilização.

Mas a esquerda radical não quer saber disso, pois seria o fim de sua culpa orgástica. Aqueles que alimentam a culpa ocidental estão preocupados com seu estado emocional, não com os resultados inspirados nesses sentimentos. As políticas adotadas com base nessa visão costumam causar mais danos aos pobres do Terceiro Mundo.

Se o Ocidente tem alguma culpa pela situação nos países pobres, esta se deve às ideologias coletivistas oriundas de lá, não ao comércio e ao seu modelo capitalista. Mas a esquerda caviar inverte as coisas e tudo atribui ao capitalismo ocidental, em vez de olhar no espelho em busca do responsável. O escritor e Prêmio Nobel de Literatura de 2003 J. M. Coetzee (1940-), ele mesmo oriundo da África, relata a surpresa de seu personagem autobiográfico de *Juventude* com o fenômeno típico da esquerda caviar:

> Entre as revistas que encontra na Dillons está *The African Communist*. Ouviu falar de *The African Communist*, mas ainda não tinha visto a revista, uma vez que é proibida na África do Sul. Dos colaboradores, alguns, para surpresa dele, foram contemporâneos seus da Cidade do Cabo – colegas de escola do tipo que dormia o dia inteiro e ia a festas de noite, ficava bêbado,

explorava os pais, era reprovado nos exames, levava cinco anos para tirar diplomas de três anos. Mesmo assim, estão escrevendo artigos que parecem cheios de autoridade sobre a economia do trabalho migrante ou os levantes da zona rural de Transkei. Onde, entre os bailes, a bebida e o deboche, encontraram tempo para aprender essas coisas?

Em vez de ficar culpando o Ocidente por seus males, a esquerda caviar faria algo infinitamente mais eficaz se abandonasse o discurso de vitimização, retirando a legitimidade que emprestam aos governos autoritários desses países. Mas será que realmente deseja ajudar os mais pobres do terceiro mundo?

Os imigrantes pobres desses países, que buscam refúgio e oportunidades nas democracias mais liberais do Ocidente, enfrentam delicados conflitos pessoais. Na tentativa de se apegar a seu passado, buscam preservar hábitos de suas culturas. Infelizmente, muitos desses costumes entram em claro conflito com as leis das democracias liberais modernas, e com sua própria filosofia de preservação dos direitos individuais.

O médico Theodore Dalrymple (1949-) trabalhou com inúmeros pacientes desse tipo na Inglaterra, e atesta a imensa dificuldade, principalmente para os filhos de imigrantes, em se adaptar aos países em que vivem ao mesmo tempo em que precisam respeitar os valores culturais de seus pais. Esse choque costuma produzir muitas vítimas, meninas que são proibidas de frequentar escolas, mulheres obrigadas a aceitar casamentos arranjados ou são espancadas por seus irmãos para não manchar o nome da família.

Os multiculturalistas, no entanto, invariavelmente defendem a "liberdade" cultural desses imigrantes, pensando que é possível conciliar todas as culturas. Infelizmente, isso não é verdade. Dalrymple resume a questão:

> A ideia de que é possível basear uma sociedade em nenhum pressuposto cultural ou filosófico, ou, alternativamente, que todos os pressupostos poderão ser tratados de forma igual para que nenhuma escolha precise ser feita entre eles, é um absurdo.

Ayaan Hirsi Ali concorda, e considera as liberdades ocidentais e os valores de sua cultura de nascença inviáveis simultaneamente:

> O tipo de pensamento que presenciei na Arábia Saudita e na Fraternidade Muçulmana, no Quênia e na Somália, é incompatível com os direitos humanos e os valores liberais. Preserva uma mentalidade feudal arrimada em conceitos tribais de honra e vergonha. Apoia-se no autoengano, na hipocrisia e em padrões dúplices. Depende dos avanços tecnológicos ocidentais ao mesmo tempo em que finge ignorar sua origem no pensamento ocidental. Essa mentalidade torna a transição para a modernidade muito dolorosa para todos os praticantes do islamismo.

A esquerda multiculturalista terá de escolher muitas vezes entre os próprios pilares das democracias liberais do Ocidente e os tais "direitos" das diferentes culturas que, não custa lembrar, deveriam se adaptar, pois são dos imigrantes. Curiosamente, ou o esquerdista foge dessa necessária escolha, abraçando uma visão utópica da coisa, ou toma o lado dos imigrantes contra suas próprias culturas, mais tolerantes e avançadas.

O imigrante ilegal representa mais votos para a esquerda que prega o Estado de Bem-Estar Social, ou seja, vantagens e benefícios "gratuitos" para essas pessoas. A legião de burocratas que terá de ser contratada para dar conta do recado faz salivar a boca dos esquerdistas. E, para a elite culpada, escancarar as fronteiras e oferecer regalias significa expiar seus "pecados". Dalrymple escreve:

> O multiculturalismo como uma doutrina é apenas outro exemplo da tendência de uma parte da *intelligentsia* a exibir a sua virtude e generosidade para todo o mundo ver, bem como proporcionar uma menor, mas lucrativa, fonte de emprego a burocratas culturais.

Em seu livro *Porque o Ocidente venceu*, o historiador Victor Davis Hanson (1953-) aborda as possíveis causas do avanço socioeconômico bem maior no lado ocidental. Sua conclusão e seu alerta deveriam ser digeridos pelos colegas que culpam o Ocidente por todos os males, dando munição para civilizações mais atrasadas ou bárbaras:

> A civilização ocidental deu à humanidade o único sistema econômico que funciona, uma tradição racionalista que por si só nos permite ter progresso material e tecnológico, a única estrutura política que garante a liberdade do indivíduo, um sistema de ética e uma religião que trazem à tona o melhor da humanidade – e a prática de armas mais letal possível. Esperemos pelo menos poder entender esse legado. Trata-se de uma herança pesada e algumas vezes ameaçadora

que não devemos negar nem da qual devemos sentir vergonha – devemos, isso sim, insistir para que nossa maneira mortal de guerrear sirva para fazer avançar, e não para enterrar, nossa civilização.

O multiculturalismo disseminado pela esquerda caviar faz justamente o contrário: cospe no legado da civilização ocidental e enaltece as mais retrógradas formas de organização social existentes mundo afora. Agindo assim, o próprio Ocidente prolonga desnecessariamente o atraso dessas culturas e, nas palavras de Ayaan Hirsi Ali, acaba "alçando culturas repletas de farisaísmo e ódio à mulher à estrutura de respeitáveis estilos de vida alternativos". Podemos apenas acrescentar, além de mulher, o ódio aos judeus, aos americanos, aos ocidentais. Em suma, ódio à vida e aos homens.

NÃO É QUESTÃO TERRITORIAL

Já vimos que o argumento contra o colonialismo não se sustenta para justificar os ataques constantes a Israel na região. Tudo isso não passa de um pretexto, de uma narrativa sedutora no próprio Ocidente culpado. Ou admitimos o culto ao ódio como fator principal, ou vamos nos perder em debates totalmente secundários e até irrelevantes para se buscar uma solução.

O próprio primeiro-ministro israelense, Benjamin "Bibi" Netanyahu (1949-), explica a questão numa entrevista ao *O Globo* em 2014: "Não é uma questão de assentamentos, nem de territórios, nem de fronteiras. Tudo isso deve e pode ser resolvido, mas o centro do conflito é o rechaço permanente dos palestinos a reconhecer que o povo judeu merece um lugar sob o sol; que o povo judeu tem direito à autodeterminação; que os judeus não são macacos ou criaturas sub-humanas que devem ser eliminadas da face da Terra, como o Hamas promulga e como, desgraçadamente, se defende também na sociedade palestina. Temos que fazer a paz entre o povo e o Estado judaico e o povo e o Estado palestino. Isso é algo que não é escutado, mas deveria ser, porque é a verdade. É isso o que realmente está impedindo a paz todos esses anos".

Para Netanyahu, o "aspecto mais importante, sobre o qual ainda não se colocou o foco, é criar uma cultura de paz e afastar-se da cultura de ódio e genocídio que dominou a sociedade palestina. É preciso recordar que metade da sociedade palestina é governada por um grupo aliado ao Irã, o Hamas, que constantemente prega a destruição de Israel. E na outra metade, a governada pela Autoridade Nacional Palestina (ANP), há uma incitação antissemita diária contra a existência do Estado judaico".

Quem pede fim à "ocupação" israelense não só ignora o contexto dessa "ocupação", já explicado nas guerras das quais Israel foi a vítima, como ignora a geografia do local. Já estive em Israel, e é impressionante como o inimigo mora efetivamente ao lado. É como a Rocinha em São Conrado, para traçar um paralelo com o meu "querido" Rio de Janeiro. O aspecto territorial serve, portanto, apenas para conter as ameaças. Netanyahu explica:

> Há pessoas que sugerem que simplesmente nos retiremos da Cisjordânia. Se fizermos isso, como saberemos que o que aconteceu em Gaza não acontecerá lá também? Em Gaza, nos retiramos em 2005, e o Irã e seus aliados penetraram lá. Em vez de ceder territórios em troca de paz, demos território e recebemos, basicamente, uma base de lançamento terrorista da qual 12 mil foguetes fabricados no Irã foram disparados sobre nossas cabeças pelo Hamas, aliado do Irã.

Isso, repito, foi em 2014. Quase uma década depois sabemos o que o Hamas fez em Israel, justamente porque domina a Faixa de Gaza desde 2006, criando túneis para seus terroristas. Israel nunca foi contra um Estado palestino, mas é contra um grupo terrorista no controle de um território bem ao lado de sua estreita nação. Netanyahu aponta para o verdadeiro problema:

> Se os palestinos têm o seu próprio Estado-nação, os judeus sem dúvida merecem seu próprio Estado-nação. Por que eles não estão dispostos a reconhecer isso? Isso é o que deveríamos nos perguntar: por que é tão difícil para eles reconhecer algo tão simples, justo e necessário. […] O presidente Abbas e os palestinos têm de escolher. Se eles escolherem o acordo com o Hamas, significará que desistiram da paz com Israel. Estarão dando um salto gigante para trás, porque a unidade nacional pela paz seria boa, mas a unidade com uma organização que está absolutamente comprometida com nossa destruição e que continua lançando foguetes e cavando túneis para sequestrar nossos cidadãos obviamente não levará à paz. Se o presidente Abbas escolher a paz com Israel, então encontrará em mim um verdadeiro companheiro e, nesse sentido, o Papa Francisco tem razão. Há uma disposição da nossa parte e do povo de Israel de alcançar a paz, mas a parte palestina não demonstrou a mesma disposição. Quando o fizer, haverá paz.

Não custa lembrar que quando Israel foi atacado pelo Hamas em outubro de 2023, estava costurando acordos de paz com a Arábia Saudita, sendo que o país já possui entendimentos com o Egito e com a Jordânia. Israel quer paz, e não quer colonizar povo algum, muito menos praticar genocídio. Mas há muitos fanáticos na região que não aceitam a convivência pacífica com Israel, pois negam seu direito de existir. E não dá para falar nem numa questão estritamente territorial, pois judeus são alvos em outros países também, na Europa, nos Estados Unidos e até na Argentina ou no Brasil. É um problema de território ou é o neonazismo alimentando o ódio aos judeus? Netanyahu chega ao cerne da questão:

> Todo mundo fala sobre concessões de Israel, mas os palestinos também têm que fazer concessões. Têm que dizer o que haverá do outro lado da fronteira. Haverá um Estado disposto a viver ao lado de Israel ou um Estado que tentará constantemente ocupar o lugar de Israel? Esse é o problema. Queremos ouvir dos palestinos: "Estamos encerrando o conflito, reconhecemos o Estado judaico, não pretendemos encher Israel de refugiados, faremos a paz, mas também faremos concessões".

Voltamos sempre ao mesmo ponto: por que Israel não pode existir? Por que a culpa é de um Estado judaico, com tolerância e respeito às minorias árabes, inclusive muçulmanas, em vez de seus vizinhos que declaram guerra ao seu direito de existir? Alguém está mesmo disposto a alegar que os judeus não possuem uma espécie de "direito natural" ao território em questão? O que a presença judaica ali subtrai dos vastos territórios palestinos? Netanyahu conclui:

> A verdadeira questão é: estão dispostos a reconhecer o Estado judaico? Quando estiverem e quando começarem a dizer isso ao povo em vez de incitá-los contra Israel, então haverá uma oportunidade para a paz. Hoje, repito, o cerne do conflito palestino-israelense não são os assentamentos ou as fronteiras, mas, sim,

se os palestinos aceitam dizer, finalmente, que "acabou". Igual ao que fez o ex-presidente egípcio Anwar Sadat, que disse: "Acabou. Sem mais guerra, sem mais derramamento de sangue, sem mais tentativas de dissolver o Estado judaico". Gostaria de ver o presidente Abbas ou qualquer outro líder palestino dizendo isso. Por isso a paz nos tem esquivado há 65 anos, porque os palestinos ainda não tiveram um líder que diga: "Realmente acabou. Teremos um Estado, o povo judeu terá um Estado, e não teremos mais demandas". E, quando isso acontecer, a paz chegará mais rápido do que você acredita.

Se os palestinos abaixarem suas armas, haverá paz. Mas se os israelenses abaixarem suas armas, seu povo será dizimado. A síntese de Golda Meir (1898-1978) continua atual e verdadeira. Quem puxa da manga a cartada territorial está simplesmente desviando o foco do essencial, desvirtuando o assunto, levantando um manto para obscurecer a cena real. Chega a ser um atentado à nossa inteligência acusar justamente Israel de "imperialista" naquela região. Não obstante, é o que muita gente faz, e por isso acaba tomando partido contra Israel. É a velha empatia com o lado "mais fraco".

Uma das explicações para o fato de que tanta gente assume automaticamente a defesa dos palestinos está, creio eu, nessa inclinação natural que temos de torcer pelo mais fraco. Naqueles programas da *National Geographic*, quem torcia para o leão alcançar o veado? As nossas emoções são programadas para proteger o lado em desvantagem. O mesmo fator fazia muita gente defender Cuba contra os Estados Unidos.

Mas nem sempre o Davi estará certo e o Golias errado. É o que mostra resumidamente João Pereira Coutinho numa coluna da *Folha de S.Paulo*, inclusive destacando alguns itens da carta fundamental do Hamas, tratado pela imprensa como uma mera "facção" ou um interlocutor legítimo pela paz. Mesmo depois do terrível atentado de outubro de 2023, não faltou veículo de comunicação chamando o Hamas de "grupo militante". O Hamas é uma organização terrorista que pretende destruir Israel, nada menos:

> O conflito com o Hamas é um problema ideológico. Basta ler a carta fundamental do grupo. Depois de prestar vassalagem à Irmandade Muçulmana (artigo 2) e de invocar os *Protocolos dos Sábios de Sião* (artigo 32) como argumento de autoridade (um documento forjado pela polícia czarista no século XIX para "provar" o conluio judaico para dominar o mundo), o Hamas não quer um Estado palestino junto a um Estado judaico.
>
> Quer, sem compromissos de qualquer espécie, a destruição da "invasão sionista" (artigo 28) – do mar Mediterrâneo até o rio Jordão. Os foguetes que o Hamas lança não são formas de reivindicar nada: são a expressão da incapacidade de aceitar que judeus vivam no *waqf* (terra inalienável dos muçulmanos – artigo 11).
>
> Acreditar no Hamas como "parceiro" para qualquer "processo de paz" é não entender a natureza jihadista do grupo. O Hamas não luta em nome da Palestina. Luta em nome de Alá.

Enquanto grupos terroristas estiverem bem na fronteira de Israel ameaçando sua população, é claro que o governo reagirá, lutar, defender-se a todo custo. Israel cedeu várias vezes nas negociações territoriais, mas ao lado palestino, liderado por terroristas, a paz não interessa. Portanto, é preciso deixar as emoções de lado e analisar a coisa por uma lente mais objetiva e racional. Podemos, sim, criticar abusos cometidos pelo governo de Israel, e lamentar profundamente as perdas civis do lado palestino – lembrando que elas também são culpa de suas lideranças terroristas. Mas é absurdo ignorar o que os próprios palestinos, sob controle de terroristas, desejam: a completa destruição de Israel.

A MALDIÇÃO DE CHAMBERLAIN

Em 2015, o então presidente Obama fechava acordos generosos com o Irã. Imbuído de uma mentalidade esquerdista, Obama queria pagar ao regime xiita, que financia o terror, para que o terror fosse reduzido, uma lógica para lá de esquisita. Na época, o primeiro-ministro Netanyahu foi aos Estados Unidos chamar a atenção para o enorme equívoco de Obama.

O discurso do primeiro-ministro israelense "Bibi" Netanyahu no congresso americano, a convite dos Republicanos da oposição, gerou incômodo diplomático. O presidente Obama, sem ter muito o que dizer sobre os pontos em si levantados, preferiu afirmar apenas que Netanyahu não trouxe nenhuma "alternativa viável". Pode ser. É fato que o discurso teve como principal alvo os eleitores conservadores de Israel, pois "Bibi" estava em campanha. Pode ser que seu discurso não tenha trazido nada de realmente novo que o público informado desconhecesse. Mas ainda assim é um alerta legítimo.

Para começo de conversa, Netanyahu discorda de Obama e garante que deu, sim, uma alternativa prática ao acordo atual negociado pelo governo americano. Para

"Bibi", não fechar nenhum acordo em curto prazo é melhor do que ter um acordo ruim. E o acordo que Obama estaria negociando com o Irã é muito ruim, segundo o premier israelense. Afinal, por que confiar num país que já se mostrou desleal antes? Por que ser benevolente com um regime que financia o terrorismo? Por que se precipitar para fechar um acordo quando tanto está em jogo, já que todos sabem que o Irã adoraria destruir Israel?

Aos parlamentares americanos, Netanyahu disse que o pacto atual não tirará a capacidade iraniana de poder desenvolver a bomba atômica em curto prazo e defendeu que a negociação só deve terminar se o país abrir mão de financiar o terrorismo e de agredir Israel. "Propus uma alternativa prática, em que prolongamos o tempo que o Irã levará para conseguir a bomba e prevê sanções mais duras se o acordo for quebrado", disse Netanyahu, em nota. Em seu discurso, dissecou sem rodeios o regime iraniano:

> Não há internet livre no Irã, mas tuitam em inglês que Israel precisa ser destruído. O Irã tem como base o ódio, a perseguição a Israel e o antissemitismo. O histórico mostra que o Irã representa perigo para a paz mundial. Levou reféns americanos, matou centenas de soldados nas guerras, fez agressões aos demais países muçulmanos, fez ataques a judeus em Buenos Aires, tentou até matar o embaixador saudita em Washington. Precisamos nos juntar e acabar com este ódio.

Segundo o ministro de Segurança Pública de Israel, Yitzhak Aharonovitch (1950-), enquanto houver a possibilidade de Teerã produzir armas nucleares, seu governo concentrará a atenção no regime iraniano. O Estado Islâmico é uma ameaça, mas nada se compara ao regime iraniano. Em entrevista à *Folha de S.Paulo*, o ministro foi bem claro ao apontar o Irã como a maior ameaça:

> No momento em que eles tiverem a capacidade de se transformar numa potência nuclear, a questão passa a ser a própria existência do Estado de Israel. Nós, como povo, já tivemos uma ameaça existencial caracterizada pelo Holocausto. Inimigos nunca faltaram em nossas fronteiras. Estamos levando a sério a questão do ISIS: são pessoas com atitudes bárbaras, mas isso não representa uma ameaça da mesma maneira que o Irã.

O discurso de Netanyahu podia ter cunho eleitoral e foco no público doméstico. Podia também ter chovido no molhado, reforçando a ideia conhecida de que o regime iraniano é realmente perigoso. Mas nem por isso deixou de ser relevante. Afinal, o presidente Obama adotou postura pusilânime desde o começo do mandato, e sua visão de mundo, que inclusive nega o caráter excepcional dos Estados Unidos (ao contrário de Netanyahu), acendia o sinal amarelo.

Não podemos esquecer jamais da maldição de Chamberlain. Neville Chamberlain (1869-1940) foi o primeiro-ministro britânico que adotou a "política do apaziguamento" com os nazistas, convencido de que o povo alemão era pela paz e que a ameaça podia ser contida com diplomacia. O Acordo de Munique, assinado em 1938, fez Chamberlain ser recibo como herói em casa. Fez, então, seu famoso discurso sobre a "paz para o nosso tempo". Sorte dos britânicos que um "belicoso" Churchill (1874-1965) pensava bem diferente à época. Sobre Chamberlain, ele disse: "Entre a desonra e a guerra, escolheste a desonra, e terás a guerra". Olhando para trás, sabemos quem estava certo.

Obama se vê como um "pacifista", o que é simplesmente falso. Mas não resta dúvida que sua postura é mais amena do que a dos Republicanos. Ele acredita, afinal, que tudo se conquista com base na bela retórica. Resta combinar com os malucos do outro lado. A manutenção da paz não é garantida com acordos bonitos no papel, mas com a certeza de que, caso uma linha seja cruzada, a retaliação será firme. Obama não passava tal firmeza para os inimigos da liberdade.

Talvez não existisse mesmo uma alternativa muito boa no momento. Talvez um acordo melhor levasse mais tempo, e Obama não queria isso por questões políticas. Talvez a guerra seja a única saída em longo prazo. Não sabemos. O que sabemos é que o alerta de Netanyahu não é um simples factoide para angariar votos. "Bibi" é conhecido por sua firmeza, ao contrário de Obama, e parece realmente disposto a tudo para proteger Israel. Muitos o acham "linha-dura" demais. Mas será que não aprendemos nada com a História? Será que vamos relaxar e confiar em acordos frágeis negociados entre presidentes fracos e regimes tirânicos?

Quem poupa o lobo mata as ovelhas, dizia Victor Hugo (1802-1885). Chamberlain queria acordos com Hitler, e achava que o discurso beligerante era um grande equívoco. Equívoco, mostrou a história, foi sua postura negligente e conivente com os nazistas, enquanto Churchill, visto como muito radical e excessivamente duro pela grande imprensa, estava com a razão o tempo todo. Não dá para chegar à paz tomando um chá das cinco com terroristas.

Com o passar de alguns anos ficou mais claro quem tinha razão. Obama tem culpa no cartório, pois sabemos que o Irã teve participação direta no ataque do Hamas em 2023. Já Netanyahu, que ainda era o primeiro-ministro eleito em seu quinto mandato, tinha total razão nos pontos abordados. É uma insanidade tentar a paz na região financiando o regime que banca o terrorismo. E pior ainda é proteger terroristas para fechar acordos bizarros deste tipo.

Historiadores costumam dizer que só o tempo permite o surgimento do legado de um presidente, para o bem ou para o mal. Às vezes é preciso esperar décadas para avaliar. Mas algumas evidências já permitem ter uma visão mais clara do legado de Obama. E não parece nada bom.

Já em 2017, logo após sua saída da Casa Branca, uma enorme mancha em seu currículo veio da investigação do *Politico*, que fez uma análise minuciosa das supostas tentativas da administração Obama de restringir o Projeto Cassandra, um trabalho da DEA para expor um esquema de lavagem de dinheiro do grupo Hezbollah na América Latina.

O Hezbollah é uma milícia libanesa pró-Irã, que o Departamento de Estado americano declarou ser um grupo terrorista já em 1997, e que se uniu, desde então, a regimes como o próprio Irã, a Síria, o Iraque, a Venezuela e a Coreia do Norte. Ou seja, é certamente do "eixo do mal".

O governo Obama teria agido então para "eliminar" as investigações e preservar seu acordo com o Irã, que foi defendido como um dos mais importantes legados de sua gestão. No acordo, que vários acusaram na época de benevolente demais, o regime iraniano suspenderia seu programa nuclear em troca do fim de sanções econômicas.

O *Político* falou com os agentes do Projeto Cassandra, que afirmam que o governo de Obama sufocou ou prejudicou as tentativas dos agentes de perseguir membros de alto escalão do Hezbollah envolvidos no tráfico de cocaína e lavagem de dinheiro, permitindo que membros do Hezbollah permanecessem ativos apesar de estarem sob acusação há anos.

Os agentes do Projeto Cassandra alegam que funcionários dos departamentos de Justiça e Tesouro impediram repetidamente suas tentativas de buscar "investigações, processos, prisões e sanções financeiras" contra figuras-chave no esquema de longo alcance.

"Esta foi uma decisão política, foi uma decisão sistemática", disse David Asher, um financista que ajudou a criar o Projeto Cassandra. "Eles destruíram todo esse esforço, e foi feito de cima para baixo".

Mas quem conhece o *modus operandi* da esquerda não fica surpreso. Já quem caiu na ladainha da imprensa, que adorava Obama, pode ter levado um baita susto. Não deveria. A esquerda é parecida no mundo todo. E a esquerda americana, cada vez mais radical, não mede esforços para atingir seus objetivos.

O governo Obama só se aproximou mesmo de dois países: Irã e Cuba. Já de Israel, antigo aliado, afastou-se bastante. Com Donald Trump (1946-) no poder, as relações EUA-Israel voltaram a se equilibrar. Agora, com Joe Biden (1942-), a gangorra desce novamente.

HAMAS NAZISTA

Com o ataque terrorista em outubro de 2023 do Hamas em Israel, deixando cerca de 1,5 mil vítimas fatais, incluindo crianças, bebês, mulheres e idosos, muito nazista envergonhado tem saído do bueiro onde se escondia. Sob o manto do slogan patético "Palestina Livre", como se os terroristas do Hamas quisessem isso, essa gente não consegue esconder seu ódio pelo povo judeu, mascarado de "condenação ao sionismo".

Os judeus foram perseguidos desde sempre, e finalmente possuem um Estado, com um poderoso aparato militar para se defender. Quem fala em "ocupação" está mentindo, e quem justifica com base nisso a barbárie do Hamas, que envolve estupro de meninas, mutilação de corpos, assassinato a esmo de civis e até degola de bebês, é igualmente monstruoso.

Choca, porém, ver a quantidade de nazistas saindo da toca suja e condenando… Israel. Alguns tentam, sem sucesso, ocultar a judeofobia com base no pedido de "cessar-fogo", condenando qualquer reação de Israel, como se o país não tivesse o direito de reagir, de se proteger e de punir os terroristas. Numa nação com menos de 10 milhões de habitantes, mil massacrados num só dia é como se matassem quase 40 mil norte-americanos por todo o país num único dia.

Quem fala de civis inocentes mortos na Faixa de Gaza, culpando Israel e não o Hamas por isso, é parte do problema, não da solução. Afinal, quem usa o próprio povo, incluindo crianças, como escudo humano são os terroristas do Hamas. Israel tenta avisar a população, com mensagens de texto e bombas de efeito, para que evacuem antes de ataques. É o Hamas que mantém o próprio povo palestino como refém e como escudo, além da centena de civis israelenses que os terroristas levaram e prometem assassinar.

Cada morte de palestino, portanto, está na conta do Hamas também. Não obstante, não faltam esquerdistas dispostos a justificar a postura desumana, monstruosa, animalesca e selvagem dos bárbaros terroristas. São os neonazistas, curiosamente os mesmos que gostam de acusar a direita de ser nazista.

No fundo, os terroristas do Hamas conseguem ser ainda piores. Os nazistas tentaram esconder seus crimes hediondos do mundo. Quando os campos de extermínio foram descobertos, foi um choque. O Hamas, ao contrário, publica as imagens de massacres de idosos, mulheres e crianças com orgulho, festejando, cantando, gritando de alegria. Os terroristas do Hamas são, portanto, ainda piores do que os seguidores fanáticos de Hitler e do nacional-socialismo.

E nunca foi tão fácil separar o joio do trigo: quem está de alguma forma relativizando isso, criando falsa equivalência moral entre os dois lados. Essas pessoas estão ignorando que Israel tenta proteger civis inocentes de ambos os lados enquanto os monstros do Hamas miram deliberadamente em civis e usam suas próprias crianças como escudo. Fazem isso por judeofobia. Podem não saber, mas são nazistas. Ou extremamente narcisistas.

O filme *Deus da Carnificina*, de Roman Polanski (1933-), é uma sátira à hipocrisia do politicamente correto, com Jodie Foster (1962-) fazendo o papel de uma típica representante da esquerda caviar, que se coloca sempre acima dos outros no campo moral.

Ela é capaz de tudo perdoar em nome da "civilização". É tão descolada que até passou sua lua de mel na Índia. Mas, em certo momento, desabafa: "Por que tudo tem que ser sempre tão exaustivo?". Usar sempre aquela máscara cansa.

A personagem abraça as causas das pobres crianças africanas, mas, no fundo, esconde seu ódio a tudo aquilo em volta, seu recalque à sua vida medíocre com seu marido acomodado, um simples vendedor de latrinas sem ambição. Eis como Luiz Felipe Pondé resume a figura em um artigo sobre o filme:

"Ela escreve livros sobre Darfur e a miséria na África e, em meio a seus berros contidos de histérica, ela decreta que quem não se preocupa com a pobreza mundial não tem caráter. Tenta passar a imagem de que ama e perdoa a todos, inclusive o filho da Winslet que bateu em seu filho, mas no fundo é uma passiva-agressiva, aquele tipo de mulher descrita por Woody Allen, que fala baixinho, mas fere fundo com sua saliva venenosa e cruel".

Em certo momento, o marido afirma que o "amor" que ela sentia pelos negros do Sudão tinha estragado tudo nela. É uma tirada ácida, mas que aponta para essa característica da esquerda caviar com perfeição. Ela "amava" os pobres distantes, mas isso era pura hipocrisia, uma forma de entorpecimento próprio. A esquerda caviar usa a "preocupação" com a desgraça alheia como troféu de sua suposta superioridade moral. As minorias oprimidas são seus mascotes.

Seus membros precisam se identificar com os "fracos e oprimidos" e condenar os bem-sucedidos do Ocidente. Imbuídos ainda de uma visão marxista do mundo, onde José é rico porque explorou Pedro que é pobre, essa é mais uma forma de expiar seus pecados, de se mostrar uma alma sensível conectada aos sofredores e perdedores.

A citação acima é do meu livro *Esquerda Caviar*, que completou uma década e continua bem atual. A visão estética de mundo seduz muita gente "culpada", que destila um romantismo infantil e trata tudo como se fosse projeção. No filme em questão, a personagem de Jodie Foster acha que todos são "civilizados" e deveriam resolver tudo num diálogo "racional". Cabe ao pai do outro menino, personagem de Christoph Waltz (1956-), "mandar a real" sobre a realidade lá fora.

Os terroristas do Hamas entraram em festas, em kibutzes, em casas e mataram aleatoriamente crianças, idosos, estupraram meninas, degolaram bebês, e depois postaram muita coisa nas redes sociais, comemorando suas atrocidades. Não obstante, ainda tem muita gente no Ocidente falando em "resistência contra a ocupação", em "causa palestina", em "diálogo" ou "cessar-fogo".

O narcisismo da esquerda ocidental é impressionante. Para fugir da dura realidade de que há, no mundo, gente bárbara que rejeita nossos valores ocidentais, essa turma prefere tratar esses monstros do Hamas como seres humanos que dividem os mesmos valores, e que se ao menos tivessem algumas concessões extras, vão simplesmente desejar a paz.

Daí a importância de mostrar as imagens cruéis, os vídeos indigestos. Eles se orgulham do que fizeram. Eles desejam matar todos os judeus. Eles valorizam a morte, o martírio, inclusive das suas crianças. São várias declarações de lideranças do Hamas confessando isso tudo, enaltecendo a morte.

O Hamas mantém o próprio povo palestino como refém, perto de aparatos bélicos, e o impede de sair mesmo quando Israel avisa antes de atacar. Eles querem mais mortos, "mártires" que usam na guerra de narrativas, pois sabem da sensibilidade e dos valores ocidentais. Os monstros do Hamas usam isso contra o próprio Ocidente.

É preciso deixar esse narcisismo de lado e encarar a face do mal: tem gente que não dá o mesmo valor à vida humana, mesmo de crianças, ou mesmo de bebês. Sim, isso deveria ser um valor universal e inegociável, mas, infelizmente, não é. E basta ver as imagens bárbaras ou ouvir o que os próprios terroristas dizem. Nós amamos a vida; eles, a morte. Aceitar isso é a única chance de sobrevivência do próprio Ocidente e, por tabela, de seus valores mais nobres.

O PAPA VERMELHO

A relação entre o catolicismo e o judaísmo nem sempre foi tranquila. Na verdade, quase sempre foi um tanto estremecida. Mas foi durante o papado de João Paulo II (1920-2005) que as coisas realmente mudaram para melhor. João Paulo II, ao lado de Margaret Thatcher (1925-2013) e Ronald Reagan (1911-2004), formou o tripé ocidental no combate ao comunismo. E essa frente de batalha moral e cultural era indissociável do legado cristão. Que saudade desses três gigantes...

> Convido os crentes a unirem-se à Igreja na Terra Santa, dedicando o dia de hoje à oração e ao jejum pela paz. Que os reféns sejam libertados, os civis não sejam vítimas do conflito, o direito humanitário seja respeitado e não se derrame mais sangue inocente.

Essa foi a postagem do Papa Francisco (1936-) no Twitter, apenas dez dias após o massacre de judeus por palestinos. Uma mensagem padrão, estilo ONU, que pede paz e respeito ao direito humanitário "de ambos os lados".

Que falta faz um Papa João Paulo II! O líder da Igreja Católica, ao lado de Reagan e Thatcher, foi o maior responsável pela derrota comunista. João Paulo II tinha clareza moral, não passava pano para o comunismo, pois sabia que sua rede de mentiras e seu totalitarismo ateísta eram incompatíveis com a mensagem cristã. Essa força moral, aliada ao estilo suave e gentil, era o maior trunfo do papa polonês.

E João Paulo II também foi o grande responsável pelo resgate de um bom relacionamento entre católicos e judeus. As sondagens de opinião pública realizadas pouco antes da chegada do papa a Israel num momento delicado sugeriam que a maioria dos israelitas desconhecia a mudança radical nas relações católico-judaicas que se seguiu ao Concílio Vaticano II: uma pesquisa revelou que 56% dos israelenses não sabiam que a Igreja condenava o antissemitismo e trabalhava contra ele em todo o mundo.

João Paulo II sabia pelo menos um pouco disso e provavelmente intuiu mais. Ele também tinha uma apreciação única da dor judaica no século XX, tendo-a vivido com os amigos da sua juventude em Cracóvia.

Além disso, ele era um homem plenamente persuadido do poder dos símbolos e da ação simbólica. Uma hora depois da sua chegada ao primeiro Estado judeu soberano em mais de 1,9 mil anos, ele deixou manifestamente claro que, apesar de toda a história torturada dos dois milênios anteriores, algo tinha mudado, e mudou para o bem de ambas as partes.

"Vim ao Yad Vashem para prestar homenagem aos milhões de judeus que, despojados de tudo, especialmente da sua dignidade humana, foram assassinados no Holocausto. Queremos lembrar. Mas desejamos recordar com um propósito, nomeadamente assegurar que nunca mais o mal prevalecerá, como aconteceu com os milhões de vítimas inocentes do nazismo", disse João Paulo II.

O papa continuou: "Como Bispo de Roma e Sucessor do Apóstolo Pedro, asseguro ao povo judeu que a Igreja Católica, motivada pela lei evangélica da verdade e do amor e sem considerações políticas, está profundamente entristecida pelo ódio, pelos atos de perseguição e pelas demonstrações de antissemitismo dirigidas contra os judeus pelos cristãos a qualquer hora e em qualquer lugar".

Os presentes, e os que assistiam pela televisão, sentiram o peso da história cair de uma forma quase esmagadora, enquanto o papa caminhava lentamente e com dor pelo Salão da Memória para se encontrar com sete sobreviventes do Holocausto. Ele não os estava recebendo: ele ia até eles, honrando a experiência deles, caminhando com dificuldade para pegar cada um pela mão. Esse gesto simples e humano de respeito foi outro ícone papal que, combinado com as palavras comoventes do papa, elevou todo o evento ao reino do épico.

O papa, depois, fez questão de ir a um local sagrado, mas onde Israel não detinha total controle. A segurança israelense estava particularmente preocupada com o *Old Friend*, codinome dado ao papa pelo serviço secreto de Israel, num local que era impossível de protegê-lo, e pediu que ele usasse um colete à prova de balas. João Paulo recusou, como sempre fazia com tais sugestões. Ele, que sofrera uma tentativa de assassinato possivelmente ligada aos soviéticos, queria simbolizar seu próprio credo marcante: não há nada a temer.

O antissemitismo está em alta no mundo todo, de forma assustadora. Mascarado de antissionismo, não faltam ocidentais destilando ódio e preconceito contra o povo judeu, fazendo o jogo sujo dos fundamentalistas islâmicos. O casamento entre marxismo e islamismo produziu o islamofascismo, um resgate do nefasto nazismo, que muitos pensavam estar morto.

Em vez de uma falsa equivalência moral ou uma mensagem vaga e elástica de "paz", seria importante se o Papa Francisco saísse em defesa dos valores judaico-cristãos e do povo judeu, uma vez mais oprimido por inimigos de Deus. Francisco deveria visitar Israel e demonstrar apoio à nação judaica sob ataque terrorista covarde. João Paulo deveria ser sua inspiração.

Jesus Cristo é algumas vezes utilizado por socialistas, mas isso é totalmente absurdo. Cristo não era um defensor da "justiça social", como entendida pela esquerda hoje, por meio do Estado e com visão igualitária de resultados. Jesus era defensor do amor ao próximo. Isso é bem diferente de um "amor" pela Humanidade, pelo Povo, pelo Palestino, por alguma abstração qualquer.

Você se lembra do Amarildo, caro leitor? Ele era um "pedreiro" que foi morto pela polícia, e gerou forte comoção nas rodas da esquerda caviar brasileira. Na época, escrevi um texto mostrando que a turma da esquerda não ligava para Amarildo, a pessoa, mas, sim, para um mascote, um símbolo a ser utilizado contra a polícia carioca. Eis um trecho:

> Amarildo virou uma abstração, que usam para atacar a polícia e, por tabela, defender os Black Blocs. Caetano Veloso endossou as táticas criminosas do grupo ao posar para foto mascarado, imitando o estilo dos vândalos. Será que os artistas e intelectuais da esquerda caviar ligam mesmo para Amarildo?

Não é mais um indivíduo, mas um símbolo para toda uma mentalidade revolucionária que condena o "sistema". E artistas e intelectuais, como sabemos, adoram criticar o sistema, enquanto usufruem de todas as suas vantagens.

Não há novidade aqui. Tom Wolfe (1930-2018) ironizou os "radicais chiques" de seu tempo, que se reuniam em coberturas luxuosas de Manhattan, em jantares refinados, para levantar fundos para os terroristas marxistas dos Panteras Negras. A elite culpada precisa expiar seus pecados...

Imagino que a sensação de superioridade moral ao defender essa gente também sirva como forte entorpecente, muitas vezes mais poderoso do que aqueles já conhecidos. É uma onda e tanto se ver como o mais puro dos abnegados que luta pelos oprimidos. Ainda que entre uma Veuve Clicquot e outra.

Pois bem, resgato esse texto, pois o palestino virou o Amarildo de agora. Celebridades endossam manifestações com bandeiras do Hamas, um grupo terrorista que degola bebês, supostamente em prol da "causa palestina". Mas é bem fácil perceber que a esquerda não liga a mínima para o povo palestino.

Afinal, se ligasse, não faria coro ao lado justamente de quem oprime o povo palestino. O Hamas é um grupo terrorista no comando da Faixa de Gaza desde 2006, e usa o povo palestino como escudo humano, coloca foguetes em hospitais e escolas, constrói túneis para armamentos e terroristas, não para proteger a população. Na verdade, o Hamas impede o povo de deixar Gaza.

E não é "só" isso. Onde estavam os "sensíveis" esquerdistas quando mais de 4 mil palestinos em campos de refugiados foram massacrados na guerra civil da Síria? Onde estava a indignação dessa turma quando o Líbano, sob o grupo terrorista Hezbollah, proibiu palestinos de trabalhar como médicos, advogados ou proprietários de terras?

Se o Hamas é visto como um grupo terrorista pela maioria, a Autoridade Palestina disfarça melhor, mas ainda assim oprime os palestinos. Foi exposto que prisioneiros palestinos foram torturados pelo grupo terrorista. Onde estavam as celebridades de Hollywood?

O Egito se recusa a aceitar palestinos como refugiados, pois enfrenta seus próprios problemas com os fanáticos da Irmandade Muçulmana apoiados pelo Irã xiita. Vários outros países árabes se fecham para os palestinos. Os muçulmanos são, aliás, os maiores assassinos de muçulmanos, como fica evidente nas infindáveis guerras entre eles. A esquerda nunca deu um pio sequer...

Os esquerdistas só entram em cena para fazer barulho quando há judeus envolvidos, quando Israel precisa se defender de um atentado terrorista nefasto, monstruoso, que matou cerca de 1,5 mil inocentes, foram meninas estupradas, idosos mutilados, corpos carbonizados irreconhecíveis e até crianças degoladas.

A esquerda caviar não é pró-palestino, e, sim, antissemita. A judeofobia salta aos olhos. Estão cegos pelo ódio a Israel. Qualquer um que realmente se importasse com a vida de palestinos estaria contra o Hamas, exigindo a libertação de reféns, demandando que o grupo terrorista permitisse a saída do povo palestino.

O "palestino" é só uma abstração, um mascote, um símbolo da esquerda caviar que adora odiar o Ocidente e seus aliados, como Israel, a única democracia na região. É a visão estética de mundo, uma narrativa envolvente, a imagem de "defensor dos oprimidos" que seduz tanto alienado. A esquerda ama a Humanidade e o Palestino; ela só não liga mesmo é para o próximo, de carne e osso, seja ele palestino ou, acima de tudo, judeu.

Que a esquerda política adote esse tipo de slogan é o esperado. Mas quando o papa confunde seu papel à frente da Igreja com o dos tempos de militante na Argentina, isso é preocupante. Para nós, católicos, é até constrangedor. Tudo bem que a infalibilidade papal sirva apenas para pronunciamentos *ex cathedra*, e não para suas opiniões sobre política ou geopolítica. Não obstante, ele fala como líder de milhões de fiéis, e sua fala tem peso. Pode servir para muita coisa boa, como no esforço de João Paulo II para levar liberdade aos países dominados pelo comunismo; ou pode servir para coisas ruins, como quando Francisco resolve passar pano para tiranias socialistas e criar falsas equivalências morais.

ISLAMOFOBIA

Logo após o bárbaro atentado do Hamas contra israelenses em 7 de outubro de 2023, o presidente Joe Biden anunciou apoio irrestrito a Israel, enquanto a Casa Branca lançava uma campanha contra... a islamofobia. Não foi erro de digitação. A preocupação dos democratas não era com a judeofobia, mesmo diante do crescente avanço do antissemitismo no país. A preocupação era com a tal islamofobia...

No Ocidente de hoje, sob o multiculturalismo e a culpa das elites, qualquer crítica legítima ao Islã atrai imediatamente a pecha de "islamofóbico". Você pode condenar o próprio Ocidente à vontade, pode até mesmo odiar seu legado – enquanto desfruta dele. Mas não venha criticar uma vírgula do Islã que isso faz de você um reacionário perigoso...

Quase todos os atentados terroristas atualmente são praticados por muçulmanos. Isso, nem era preciso repetir, não quer dizer que todos os muçulmanos sejam terroristas ou defendam o terrorismo. Apenas que há algo em sua cultura, alimentada pelo fanatismo, que cria um clima mais propício ao terror como instrumento político ou religioso. Basta ver a lista dos principais atentados terroristas das últimas décadas.

Respire fundo:

Em 1979, 80 iranianos invadiram a embaixada americana em Teerã e fizeram 52 reféns, durante 444 dias; em 1980, seis terroristas islâmicos tomaram a embaixada do Irã em Londres e mataram duas pessoas; em 1983, integrantes do Hezbollah, com apoio de Líbia e Irã, explodiram, com bombas suicidas, a embaixada americana de Beirute, matando 63 pessoas; no mesmo ano, o grupo jogou um caminhão com explosivos na embaixada americana, agora no Kwait; em 1984, um ataque com bombas à embaixada americana no Líbano matou 24 pessoas; em 1985, terroristas que trabalhavam para o governo da Líbia bombardearam os aeroportos de Viena e Roma, matando 20 pessoas; em 1988, uma bomba explodiu no voo da Pan Am e matou 270 pessoas na Escócia; em 1992, o Hezbollah bombardeou a embaixada israelense em Buenos Aires; em 1993, um carro-bomba explodiu no World Trade Center, matando sete e ferindo centenas; em 1994, um atentado explodiu o prédio da AMIA na Argentina, deixando 85 mortos e 300 feridos, no maior ataque terrorista na América Latina; em 1998, um carro-bomba explodiu na embaixada americana no Quênia, e, poucas horas depois, outra explosão, desta vez na embaixada na Tanzânia, deixou um total de 224 civis mortos, e mais de 5 mil feridos; em 2001, o World Trade Center foi destruído por dois aviões, com mais de 3 mil mortos; em 2002, um atentado terrorista em Bali deixou mais de 180 mortos e 300 feridos; em 2004, uma explosão em trem matou mais de 200 e feriu mais de 2 mil em Madri; em 2005, Londres foi vítima de uma série de explosões de bombas que atingiram o sistema de transporte público, deixando mais de cinquenta mortos e setecentos feridos; em 2013, duas bombas explodiram na maratona de Boston, matando três pessoas e ferindo 170.

A lista, que enxuguei e interrompi uma década atrás, poderia ser muito maior e mais atual, mas o leitor deve estar sem fôlego. Os casos selecionados servem para mostrar que terroristas islâmicos são atuantes há décadas, de forma sistemática, e em diversos países ocidentais ou em suas embaixadas. Culpa do Bush (1946-)? Culpa do Trump? Culpa do Tio Sam? Ou será que estamos diante de um inimigo que deseja nada menos do que o extermínio de um estilo de vida, que é, por acaso, o ocidental, com sua liberdade individual arrasadora para aqueles que vivem sob o domínio do Islã?

Mas se você levanta tais fatos, sofre de "islamofobia", segundo a esquerda. Como disse Walter Laqueur (1921-2018) em *After the Fall* ["Depois da Queda", em tradução livre], a "islamofobia" é basicamente um termo propagandístico criado com o intuito de suprimir qualquer crítica ou oposição às demandas e reclamações de imigrantes islâmicos que recusam a se adaptar ao ambiente cultural que os acolheu.

A esquerda *woke* não sofre desse "preconceito". Seus membros são mais abertos, mais tolerantes, mais dispostos ao diálogo entre as culturas. Claro, isso não os impede de praticar a "cristofobia", destilando profundo desprezo pelo cristianismo. Meter o pau na principal religião ocidental pode, e é até desejável para os inteligentes da esquerda caviar.

Movimentos gays costumam encenar a crucificação de Cristo, só que o retratando como um homossexual. Nesses atos, colocam Cristo beijando outro homem na boca. Já na

"Marcha das Vadias", em 2013, que ocorreu durante a visita do Papa Francisco ao Brasil, manifestantes se masturbaram em público usando uma cruz. Ofensa gratuita aos cristãos. Isso pode? Por que não vemos a "marcha das minorias tolerantes" protestando contra isso? O duplo padrão da esquerda caviar é evidente. No fundo, mostra-se intolerante, preconceituosa e, acima de tudo, muito hipócrita.

Muitos apontam para as atrocidades praticadas pela Igreja para suspender o julgamento acerca das barbaridades islâmicas. Só um detalhe: voltam mais de cinco séculos no tempo para fazer tal comparação. Torquemada (1420-1498), o terror da Inquisição espanhola, é o ícone que absolve os terroristas e fundamentalistas muçulmanos do século XXI.

Claro que escapa à esquerda o óbvio: podem praticar a tolerância ao Islã e o ódio ao cristianismo do conforto ocidental, enquanto, fosse o contrário, ou seja, se criticassem os seguidores de Alá e tolerassem os de Cristo nos países islâmicos, o resultado seria certamente a morte.

A italiana Oriana Fallaci (1929-2006), em desabafo após o atentado de 11 de setembro e a reação covarde de boa parte do Ocidente, escreveu *The Rage and the Pride* ["A Fúria e o Orgulho", em tradução livre], livro em que denunciou uma "cruzada reversa" para destruir tudo o que nossa civilização construiu. Ela reconhecia aquilo que Samuel Huntington (1927-2008) apontou em seu clássico livro *The Clash of Civilizations* ["O Choque de Civilizações", em tradução livre]: um choque de civilizações em curso.

Uma parte da raiva da autora é dedicada aos que tentam analisar tudo pelo prisma de "diferenças culturais" apenas. Fallaci refresca a memória dos leitores a respeito do atraso e da barbárie que tal "civilização" representa. Questiona qual a grande contribuição ao mundo que veio de lá, citando Copérnico (1473-1543), Galileu (1564-1642), Newton (1643-1727), Darwin (1809-1882), Pasteur (1822-1895) e Einstein do "lado de cá", nenhum deles seguidor do "profeta".

O motor, o telégrafo, a luz elétrica, a fotografia, o telefone, o rádio, a televisão, o computador, o celular, nada foi inventado por um aiatolá da vida, mas pelos ocidentais. O trem, o automóvel, o avião, o helicóptero e as espaçonaves, tudo criação ocidental. Os transplantes de coração e pulmão, as curas para alguns tipos de câncer, a decodificação do genoma, tudo que é avanço médico, nada fruto dos seguidores de Alá.

É verdade que, nos remotos tempos medievais, o Islã foi capaz de produzir alguns filósofos importantes, que beberam da fonte grega ocidental. Eram os casos de al-Farabi (870-950) e Avicena (980-1037), influenciados por Platão (ca. 428/427 a. C.-ca. 348/347 a. C.) e Sócrates (ca. 469/470 a. C.-ca. 399 a. C.). Estamos falando, entretanto, dos séculos X e XI, muito distantes no tempo.

Muito se fala da "era de ouro" do Islã, mas há muitos mitos nisso. Rose Wilder Lane (1886-1968), em *The Discovery of Freedom* ["A Descoberta da Liberdade", em tradução livre], chega a incluir os sarracenos nas importantes tentativas de luta contra a autoridade arbitrária. Houve, de fato, um período de relativa paz sob o Islã. Uma "paz" passageira, porém, que não deixou de tratar cristãos e judeus como cidadãos de segunda e terceira classes. Sem falar de vários massacres de judeus ocorridos nessa mesma época "dourada".

Em 1453, o símbolo do cristianismo em Bizâncio, a cidade de Constantinopla, foi tomada pelos otomanos. Uma Europa dividida, sem condições para formar uma coalizão contra o inimigo comum, acabaria derrotada. O exército conquistador partiu então para a pilhagem irrestrita, e matou todos que lhe cruzaram o caminho, incluindo mulheres e crianças, escravizando o restante.

A cultura bizantina, que durante mais de um milênio existira no Bósforo, tinha Constantinopla como uma cidade na qual o intelecto era admirado e o pensamento clássico, estudado e preservado. Tudo isso tinha acabado com a vitória dos turcos otomanos. A nova classe dominante desencorajava o estudo entre seus súditos cristãos. O Islã acabou optando por se fechar, por rejeitar a liberdade e a independência dos pensadores e dos cientistas. O abismo entre o progresso ocidental e o atraso islâmico, desde então, salta aos olhos de todos.

Mas eis que o Ocidente é a fonte de todos os males. Isso lembra até aquela cena do filme *A Vida de Brian*, do Monthy Python, em que um grupo revolucionário planeja um atentado contra os romanos. Quando o líder tenta insuflar seus seguidores com o ódio, e pergunta o que receberam do império romano, cada membro começa a citar um exemplo. No final, já exasperado, o líder diz: "Tudo bem, tudo bem, mas fora o saneamento, a medicina, a educação, o vinho, a ordem pública, a irrigação, as estradas, o sistema de água e a saúde pública, o que os romanos fizeram por nós?". E para o desespero total do líder, alguém ainda lembra: "Trouxeram a paz!". Só resta ao líder mandar que todos se calem...

Quais as conquistas da outra cultura, da cultura dos barbudos com turbantes que maltratam as mulheres? Nenhuma vitória nos campos da ciência, tecnologia ou bem-estar social. A duplicidade, a ambiguidade e a hipocrisia de muitos "pensadores" ocidentais colocam em risco a própria sobrevivência do Ocidente, a própria liberdade de expressão que hoje usam contra si mesmos. Manter os olhos fechados para a realidade não é uma opção aceitável. Quando resolverem abri-los, poderá ser tarde demais. Ayaan Hirsi Ali vai direto ao ponto:

> Analistas irritantemente idiotas – sobretudo gente que se dizia arabista, embora parecesse nada conhecer da realidade do mundo islâmico – escreveram resmas de comentários. Seus artigos falavam do Islã que salvara Aristóteles e descobrira o zero, o que os estudiosos medievais tinham feito mais de oitocentos anos antes; falavam no islamismo como religião da paz e da tolerância, sem um pingo de violência. Aquilo não passava de balela, não tinha nada a ver com o mundo real que eu conhecia.

Mas a esquerda "islamoafetiva" não quer saber de nada disso. O pós-moderno rejeita rótulos e hierarquia de valores. Tudo é pura questão de gosto. Claro, eles mesmos preferem viver no Ocidente, mas apenas porque se acostumaram a isso. E quando um deles vai visitar um país muçulmano, especialmente dos mais radicais, conta com forte aparato de segurança, pois no fundo sabem onde mora o perigo. Só não podem dizer isso abertamente, porque não pega bem com a turma. Melhor continuar demonizando Israel e os Estados Unidos e elogiando os países islâmicos…

PRIMAVERA ÁRABE

"Todos os povos passaram por diferentes processos, e hoje o mundo árabe está passando pela sua própria transição democrática. Quem diz que os árabes não estão prontos para a democracia é racista". Essa foi a declaração de Saeb Erekat, o negociador-chefe palestino, na época da "Primavera Árabe". Racismo? É difícil entender o que o racismo poderia ter de ligação com o fracasso das "democracias" islâmicas no Oriente Médio.

Não conheço quem diga que é algo inato, presente na "raça" dos árabes. O que escuto, e endosso, é que a cultura predominante na região, sob forte controle do fanatismo religioso do Islã, não estaria preparada para a democracia representativa. Por mais que muitos especialistas tenham soltado fogos de artifício com a "Primavera Árabe", o fato lamentável é que tudo não passou de uma ilusão.

A "Primavera Árabe" encantou muita gente no Ocidente. Vários celebraram o "despertar" do povo para a democracia, lutando contra regimes opressores no poder há décadas. Mas a comemoração foi precipitada demais. Os pilares culturais e institucionais que permitem o funcionamento adequado do regime democrático simplesmente não estão lá.

A "democracia", nesse caso, pode ser apenas uma forma de teocracia disfarçada, com os fanáticos muçulmanos tomando o poder e impondo a *sharia* – a lei islâmica. É o que defende Andrew McCarthy (1962-) em seu livro *Spring Fever: The Illusion of Islamic Democracy* ["Febre da Primavera: A Ilusão da Democracia Islâmica", em tradução livre]. McCarthy é autor também de *The Grand Jihad* ["A Grande Jihad", em tradução livre], onde já havia exposto como os fanáticos do Islã estão sabotando os pilares da civilização ocidental de dentro do sistema.

São leituras obrigatórias para quem quer entender melhor como o radicalismo islâmico opera nos Estados Unidos, e porque a democracia no Oriente Médio ainda não passa de uma doce ilusão. Gostamos de crer que o povo islâmico da região despertou, mas isso pode ser somente uma vontade nossa de acreditar nisso.

Para o autor, muitos no Ocidente desejam crer que os povos árabes compartilham dos mesmos ideais de liberdade que nós, e acabam ignorando que a "Primavera Árabe" pode ser, na verdade, a ascendência da supremacia islâmica. O governo de Mohamed Morsi (1951-2019) no Egito deixou claro esse risco: várias medidas do governante eleito foram na direção da *sharia*, e o alinhamento inclusive com grupos terroristas ficou evidente.

McCarthy disseca o caso da Turquia, pois se trata do país mais ocidentalizado da região, graças ao legado de Mustafa Kemal Atatürk (1881-1938). Recep Tayyip Erdogan (1954-), entretanto, deu demonstração de sobra de que não quer saber disso, preferindo atender aos anseios dos defensores da *sharia*. Nem há surpresa aqui: tais são os objetivos declarados desses governantes. Eles alegam abertamente que o Estado deve ser guiado pelo Islã, e essa é a visão que eles têm de liberdade: "perfeita submissão".

No Ocidente, sobretudo na esquerda progressista, a visão multiculturalista impede a constatação desse fato. Simplesmente reproduzir o que as próprias lideranças islâmicas afirmam é suficiente para ser chamado de "islamofóbico". Sem querer julgar qualquer coisa (à exceção de seus oponentes conservadores), esses progressistas tentam remodelar o Islã à sua própria imagem: uma nobre e tolerante religião. É puro narcisismo.

Para o autor, essa é a principal lição da "Primavera Árabe": a miragem do Islã como uma força moderada e amigável à transformação democrática existe somente em nossas mentes, para nosso consumo próprio. Lá, no Oriente Médio, a mentalidade predominante não tem nada a ver com isso, como atos e pesquisas apontam. Os governantes mesmos se sentem ofendidos com o uso do termo "moderado", pois para eles, o Islã é o Islã, e ponto. Seguir sua lei é absolutamente imprescindível. Estado laico? Nem pensar!

Por acaso o Irã tem se tornado mais moderado nos últimos anos? Por acaso o Hamas é moderado em Gaza, ou ocorreu nova eleição desde que o grupo foi escolhido? Por acaso a constituição iraquiana, aprovada sob a supervisão americana, deixa de colocar o Islã como a religião oficial que deve pautar as leis? O sucesso eleitoral do Hezbollah no Líbano mudou o país, ou serviu para que o Irã pudesse contar com um braço terrorista com o manto de "democracia" em suas provocações jihadistas?

Aplicar a nossa ideia de liberdade individual ao contexto do Oriente Médio é a grande ingenuidade que cometemos, segundo o autor. Essa cultura de povo soberano não está presente nesses países. Para eles, seguir a religião por meio do Estado, sob o comando de um representante forte que garantirá tal submissão, isso é "liberdade". Parlamento com poderes legislativos, pesos e contrapesos, descentralização de poder, tolerância às minorias, tais são valores enraizados no Ocidente, mas não nos países islâmicos.

Outro ponto importante abordado pelo autor é que os fanáticos muçulmanos compreendem que a disputa é cultural acima de tudo. O *dawa* é o proselitismo da *sharia*, sem o uso de violência. Intimidar críticos, cultivar simpatizantes na imprensa e nas universidades, explorar a tolerância e a liberdade religiosa ocidental, infiltrar-se em nosso sistema político, retratar qualquer crítica como "islamofobia", eis a guerra que eles estão travando e vencendo até aqui. Esses foram os ensinamentos de Hassan al-Banna (1906-1949), um dos fundadores da Irmandade Muçulmana, que pretende dominar todo o planeta com sua religião.

O que McCarthy mostra no livro é como vários institutos islâmicos nos Estados Unidos servem apenas como fachada para disseminar os valores radicais de sua fé, ou então fazer um elo com grupos terroristas. Não é que eles não compreendam a democracia ocidental, ou não sejam sofisticados para isso: é que eles não desejam tal modelo para eles. Eles olham com profundo desdém para o resultado do que essa democracia e essa liberdade conquistaram no Ocidente. E eles querem mudar isso.

McCarthy não tem medo de concluir que, nos termos de Samuel Huntington, trata-se de um "confronto de civilizações". Não reconhecer isso é um perigo, pois o outro lado avança de forma agressiva. A meta das lideranças islâmicas, com o apoio da maioria do povo, é o "renascimento islâmico", o resgate de uma época de predominância do Islã.

Os que são considerados "moderados" pela esquerda ocidental não escondem o mesmo sonho, e simpatizam com os terroristas, retratados por eles como "resistentes". O ódio a Israel e aos Estados Unidos está presente também, mas muitos fingem não ver. McCarthy resume sem rodeios: "Nesta região antidemocrática, a democracia real não tem a menor chance contra a supremacia islâmica".

BDS: BOICOTE RACISTA

Assim como o antissionismo é um escudo para o antissemitismo, o boicote a Israel é usado como uma máscara para a judeofobia. Seus adeptos alegam que estão boicotando apenas o estado de Israel, não o povo judeu. Mas isso é pura balela, claro. É impossível dissociar uma coisa da outra. Seria como pregar o boicote generalizado aos Estados Unidos ao mesmo tempo que se diz não haver qualquer problema com o americano, apenas com o "Estado". Contem outra.

Essa estratégia dissimulada de destilar ódio ao judeu é muito comum na esquerda democrata. Os congressistas mais radicais de esquerda pregam abertamente o Boicote, Desinvestimento, Sanções (BDS), sigla para tal boicote. Invariavelmente são os mesmos que não conseguem esconder o preconceito contra judeus em geral, associando-os a algum complô para o controle do mundo ou à prática de usura por gananciosos insensíveis, como o Shylock de *O Mercador de Veneza*, de Shakespeare. "Eles" só pensam nos "Benjamins" – menção à nota de cem dólares com Benjamin Franklin estampado. Mas imagina se esse tipo de pensamento é preconceituoso...

Além do preconceito mal camuflado, há a pressão comercial dos países árabes e seus petrodólares. Em 2015, por exemplo, tivemos essa notícia:

A decisão da semiestatal francesa de telefonia Orange de suspender suas operações em Israel o mais cedo possível – e a afirmação de seu CEO de que o grupo quer ser um "parceiro de confiança de todos os países árabes" – causou fúria no governo israelense, com o primeiro-ministro Benjamin Netanyahu definindo a decisão como "infeliz". O imbróglio diplomático tem como pano de fundo o temor em Israel das consequências de um possível recrudescimento da campanha global chamada BDS – que visa isolar o país economicamente para pressioná-lo a negociar a criação de um Estado palestino e se retirar dos territórios ocupados.

O anúncio da intenção da Orange, uma das principais empresas globais da França, de sair de Israel foi feito no Cairo pelo CEO da empresa, Stéphane Richard (1961-). A Orange encerraria sua parceria com a Partner Communications, uma operadora de telefonia israelense que usa sua marca, mas não sua infraestrutura.

"Eu sei que esse é um tema sensível aqui no Egito... Nós queremos ser um dos parceiros de confiança de todos os países árabes", disse Richard.

A pressão econômica exercita pelo mundo árabe contra Israel não é novidade, e representa um grande risco à nação judaica. Mas tem sido vista cada vez mais como a arma mais poderosa para destruir Israel. A lógica é simples: de um lado há vários países ricos e poderosos (graças ao petróleo), dominados por regimes islâmicos opressores que enxergam Israel como o inimigo a ser destruído; do outro, um pequeno país com cerca de 8 milhões[5] de habitantes,

---

[5] Atualmente, há cerca de 10 milhões de habitantes em Israel. (N. R.)

bastante próspero apesar da falta de petróleo, mas com uma riqueza insignificante em termos absolutos quando comparada ao imenso mundo dos países muçulmanos.

Como ninguém quer perder a chance de fazer comércio com esses países todos, acaba-se muitas vezes cedendo à pressão de seus líderes e colaborando com o boicote a Israel. O colaboracionismo, aliás, é conhecido na Europa, e na França em especial, durante o nazismo. O Regime de Vichy foi um fantoche dos nazistas, agindo como máquina militar contra os próprios franceses judeus. Milhares foram mortos, e a ferida nunca cicatrizou bem, com razão.

Por isso é temerário ver esse tipo de pressão funcionando, com empresas francesas saindo de Israel para agradar os regimes islâmicos. No livro *Submissão*, de Michel Houellebecq (1956-), essa postura colaboracionista está no epicentro do avanço islâmico no Ocidente. O narrador da história, que se passa em 2022 em Paris, reconhece que muitos ainda resistiam: "Dobrar-se à autoridade do novo regime saudita era considerado por muitos como um ato meio vergonhoso; um ato, por assim dizer, de *colaboração*".

O termo não é em vão: remete ao vergonhoso Regime de Vichy. Mas, como o autor imagina em sua ficção, a vergonha era compensada pela quantidade de adeptos, reunidos sempre em grupo para parecerem mais numerosos, o que dava a eles mais "coragem". Se todos estão colaborando, então não é algo tão ruim assim, não é mesmo? E com essa desculpa a barbárie e a injustiça são nutridas por "inocentes", na verdade cúmplices.

Houellebecq incomoda por alertar que talvez sim, talvez a Europa já tenha chegado a um ponto de não retorno, deixando o caminho aberto para que o Islã preencha esse vácuo de valores. É, claro, ficção. Mas as distopias servem como alertas importantes, e as boas distopias capturam bem o *Zeitgeist*[6]. Um mundo dominado pelo Islã seria um mundo bem diferente do que conhecemos, com as conquistas liberais do Ocidente. A *sharia* não combina com o ambiente de tolerância ao qual nos acostumamos, e dizer isso não é "racismo" ou "islamofobia". É um fato.

E quanto mais ignorarmos esse fato, por covardia, por medo, mais ameaçadas estarão nossas conquistas liberais. Será que ainda dá tempo de evitar o pior? Será que dá para impedir o avanço islâmico na Europa, sem ter de apelar para as forças reacionárias nacionalistas e ultrarreligiosas? Ver as imagens de Londres tomada por apoiadores do Hamas em 2023, um ano depois do "futuro distópico" imaginado por Houellebecq em 2015, parece comprovar sua profecia.

Será que uma empresa precisa romper com Israel para ser de "confiança" dos países árabes? Por que não pode ser livre para praticar comércio com todos? Isso já não diz muito sobre esses países árabes, sobre sua intolerância, seus métodos condenáveis, seu antissemitismo? Claro que ele virá disfarçado sempre de luta contra as injustiças de Israel, mas basta ter um pingo de isenção e honestidade intelectual para saber que, no fundo, não é nada disso. Israel é o capeta, e o Irã é aceitável? Israel é o demônio, e a Arábia Saudita é um bom exemplo? Uma piada.

---

6 Termo alemão que significa "espírito do tempo", o ambiente cultural em uma determinada época e lugar. (N. E.)

Espero que a Europa não se curve diante da pressão e dos petrodólares dos muçulmanos. Seria a morte de seus princípios fundadores, da busca por liberdade e justiça, da tolerância, dos valores mais caros ao Ocidente, que fazem dele o relativo sucesso entre as diferentes culturas modernas. Se o mundo ocidental virar suas costas a Israel, por medo ou interesse, será sua sentença de morte, coroando com infâmia uma decadência que já não vem de hoje. Que o bom senso e o juízo ainda possam prevalecer.

Mas, se você é daqueles que adoram odiar Israel e está louco de vontade de boicotar seus produtos, aqui vai uma lista para ajudar. É apenas uma pequena parcela. Boa sorte em seu esforço, caso não seja apenas um hipócrita que gosta de cuspir slogans da boca para fora:

- Remova chips sionistas Pentium e Celeron.
- Desinstale seu Windows XP.
- Sistema Microsoft? Esqueça.
- Remova antivírus e firewall. Já!
- Enviar e-mail? Não mais. Código de algoritmo é... israelense!
- Compre um pager! Tecnologia do telefone celular foi desenvolvida em... Israel.
- Desative seu voicemail. Israelense.
- Facebook? Não te pertence mais.
- Busca on-line? Cuidado, maioria é israelense.
- Usa Waze? Usava.
- Reinstalou ICQ? Sionista! Desinstale.
- Curte e-book? Curtia!

- Armazenar dados na Web? Vá com calma, maioria israelense.
- Carro elétrico? Não! Polua para sempre.
- Tomatinho-cereja delicioso? Volte para o tomatão.
- Tecnologia de irrigação contra fome na África, China, Índia e Indonésia (maior país muçulmano do mundo): é o fim!
- Genéricos: prefira os de marca. A israelense Teva é a maior do mundo!
- Câncer: cientistas israelenses na vanguarda dos tratamentos.
- HIV: já ouviu falar do AZT?
- Diabético? Evite injetar insulina com aparelhos desenvolvidos em Israel.
- Esclerose múltipla: pare Copaxone, dos mais eficazes. Laquinimod? Abandone.
- Parkinson: remova marcapasso israelense que minimiza os tremores. Interrompa Levodopa.
- Histórico de doença cardíaca ou arteriosclerose na família? Reze para a doença não ter. Detecção prévia? Não para você.
- Epilepsia: livre-se da pulseira sionista que envia alertas!
- Apneia do sono: testes só sem aparelhos israelenses.
- Dislexia: babau para o sistema de leitura baseado na intranet.
- Alergias de pele: tratar com creme de esteroide, esqueça os sem.

- Cateteres? Protegidos contra infecção por plástico israelense.
- Cirurgia na garganta: só sem laser cirúrgico sionista!
- Colonoscopia e endoscopia: aborte câmeras israelenses.
- Nunca implante um coração artificial: Israel foi pioneira!
- Transplante de rim: espere doadores do mesmo tipo sanguíneo! Métodos de Israel permitem outros doadores!
- Células-tronco: esqueça fabulosos tratamentos!
- Tratamento dentário: esqueça os principais, scanner desenvolvido em Israel.
- Assistência humanitária e produção local: quase quarenta países beneficiados.

NAZISMO DE ESQUERDA

Diante do ataque mais letal contra os judeus desde o Holocausto, é claro que Israel teria de se defender com força. Isso era esperado e desejado pelo Hamas. Diante da reação legítima e necessária de Israel, muito antissemita saiu da toca – ou do bueiro – e passou a desejar abertamente o fim de Israel e a morte de judeus. Esses neonazistas não eram "supremacistas brancos", eleitores de Trump e Jair Bolsonaro (1955-): eram comunistas do PCO, PSTU e PT. Judeus de esquerda, como Caio Blinder (1957-), ficaram horrorizados, mas incapazes de fazer o elo entre o esquerdismo radical e o antissemitismo. Falta estudo da história para esses tucanos.

Hitler e Benito Mussolini (1883-1945) eram de extrema direita, e Stalin (1878-1953) e Mao (1893-1976), de extrema esquerda. Comunistas lutavam contra fascistas. Logo, a esquerda "progressista", que hoje se diz antifascista e acusa a direita de fascista, representa o oposto daquilo que os seguidores de Hitler e Mussolini pregavam, certo?

Errado. Talvez não haja nada mais perto do fascismo hoje do que o grupo Antifa, que tem elos com a esquerda. Mas isso não é uma surpresa para quem efetivamente estudou história. No passado, era a esquerda que também tinha afinidade ideológica com nazistas e fascistas. Como, então, tão pouca gente sabe disso?

Em seu livro *A Grande Mentira*, o acadêmico Dinesh D'Souza (1961-) resgata essas raízes históricas que ligam a esquerda americana e os nazistas e fascistas, argumentando que somente uma mentira escabrosa, que inverte totalmente a realidade, poderia passar impune por tantas décadas. Foi o próprio Hitler que ensinou a tática: uma pequena mentira não seria crível, seria logo desmascarada; mas uma enorme mentira poderia sobreviver, especialmente com a ajuda da cultura, da academia e da imprensa.

Com a vitória de Trump, que a esquerda não engoliu até agora, esse viés fascista dos democratas ficou mais exposto. O objetivo de D'Souza no livro é justamente mostrar que não é Trump o verdadeiro fascista, apesar de tantas acusações nesse sentido, mas, sim, a própria esquerda que o acusa. E, para tanto, ele volta às origens desses movimentos ideológicos na América e na Europa, comprovando a ligação entre eles.

Antes mesmo do surgimento do fascismo e do nazismo, já era a esquerda americana, por meio do Partido Democrata, que apresentava traços racistas, que defendia a segregação, que tinha escravos, que fundou a Ku Klux Klan. Lincoln, que declarou guerra à escravidão, era do Partido Republicano, o que é praticamente omitido nos filmes sobre ele.

Os movimentos contrários a Trump, que não aceitam o resultado de uma eleição legítima, fazem de tudo para derrubá-lo, ainda que de forma ilegítima. Grupos violentos e mascarados impedem palestras de conservadores em universidades e agridem defensores do presidente. Para eles, os "fascistas" não devem ter direito à liberdade de expressão. Aprenderam com Marcuse (1898-1979) que é aceitável reprimir os "intolerantes", custe o que custar.

Enxergando em Trump a grande ameaça fascista, então, graças ao apoio da mídia e de muitos intelectuais, esses brutamontes nem sequer percebem que são eles que agem exatamente como os "camisas marrons" de Hitler ou os "camisas negras" de Mussolini. Para derrotar o "nazismo", a esquerda pode e deve usar os métodos nazistas: foi essa a lição de Marcuse, e foi bem absorvida, como podemos ver. Na prática, tudo aquilo que não é extrema esquerda já é considerado "fascismo" ou "nazismo", o que significa dizer que a esquerda radical pretende calar qualquer divergência, exatamente como fizeram os nazistas.

O autor mostra, ainda, como as práticas de eugenia dos nazistas começaram com a esquerda americana, de onde muitos nazistas extraíram importantes lições. Margaret Sanger (1879-1966), feminista e fundadora da Planned Parenthood, era uma defensora do aborto como "controle de natalidade" para impedir o avanço dos "deploráveis". Os nazistas conheciam seu trabalho, e ela tinha orgulho disso. Tratava-se de uma via de mão dupla. Sanger é hoje admirada por democratas como Hillary Clinton (1947-).

A principal definição do fascismo é a concentração de todo o poder no Estado. A frase de Mussolini resume bem isso: "Tudo no Estado, nada contra o Estado, e nada fora do Estado". Essa visão encontra eco justamente nos "progressistas" que clamam por mais e mais Estado em nossas vidas, querendo controlar tudo, do berço ao túmulo. A visão coletivista que transforma o indivíduo num meio sacrificável tem forte semelhança com várias mensagens dos democratas. E isso não começou com Obama.

Na verdade, a época em que os Estados Unidos mais se aproximaram do fascismo foi justamente na década de 1930, com Franklin Delano Roosevelt (1842-1945), o presidente que ficou no poder por mais tempo. A admiração entre os principais assessores de FDR e os fascistas italianos era mútua. O *New Deal*, com seu símbolo da águia azul que deveria estar estampada em todos os estabelecimentos nacionais, era claramente influenciado pela visão fascista.

O Estado seria a grande locomotiva do progresso, e as liberdades constitucionais foram ignoradas. Até a Suprema Corte correu risco quando Roosevelt ameaçou aumentar a quantidade de juízes para aprovar suas reformas consideradas inconstitucionais. Quem não liga para o devido processo legal e esses limites constitucionais são justamente os fascistas. Vimos o mesmo desprezo pela Constituição com o Obamacare.

O que tanto "progressistas" como nazistas e fascistas também desprezam é o capitalismo liberal. Muitos ignoram o fato de que o antissemitismo de Hitler tinha origem em seu ódio pelos financistas. Para ele, o elo entre judeu e capitalismo era total, e fonte de sua raiva. Soa familiar ao ódio pregado pelos democratas contra Wall Street, contra os especuladores e ricos capitalistas em geral? Não é a esquerda que odeia Israel, enquanto Trump representa seu maior aliado?

Há vasta informação no livro sobre as demais ligações diretas e indiretas entre a esquerda americana e os nazistas. Mas a esquerda tem sido capaz de não só bancar a vítima do fascismo, como inverter a realidade e pintar a real vítima como algoz. São os conservadores e liberais clássicos que lutam contra o fascismo, que querem diminuir o Estado, descentralizar seu poder, impor limites constitucionais e preservar as liberdades individuais. Tudo isso é contrário ao fascismo e ao nazismo, assim como ao "progressismo".

Não é coincidência que Mussolini e seus companheiros tenham vindo do socialismo, assim como Hitler e os nacional-socialistas. Tampouco deveria ser surpresa: eles viam com naturalidade essa "transição", justamente porque consideravam o nazismo e o fascismo como ideologias socialistas na essência. Somente uma "grande mentira" poderia esconder isso de tanta gente, por tanto tempo.

Voltando ao presente, não é coincidência, portanto, que os antissemitas defensores do neonazismo islâmico venham do Partido Democrata. Trump seria um nazista segundo a esquerda americana, enquanto Bolsonaro seria seu análogo no Brasil. Ironicamente, ambos defendem Israel, enquanto é a própria esquerda que, cada vez mais, destila ódio e preconceito não só a Israel, mas a todos os judeus por tabela. E essa "judeofobia" não vem por acaso, mas está enraizada na origem do próprio marxismo.

Enquanto as pessoas lutam para explicar o súbito ressurgimento do socialismo não apenas nos campi universitários americanos, mas também nos corredores do poder político, Roger Kimball (1953-), em coluna na *Spectator*, defende que vale a pena observar o ressurgimento concomitante do antissemitismo nesses redutos.

A coincidência não é, como os marxistas gostam de dizer, um acidente. A verdade, diz o acadêmico, é que o socialismo, embora baseado principalmente em uma demanda pela abolição da propriedade privada, sempre vem sobre uma corrente de antissemitismo. Separar as razões conceituais para esse elo é um negócio complexo, mas vale a pena notar quão visível parece o link causal. Considere esta observação:

> Qual é a religião mundana do judeu? Ser mercenário. Qual é o seu Deus mundano? O dinheiro... A emancipação do mercenário e do dinheiro, consequentemente do judaísmo prático e real, seria a autoemancipação do nosso tempo [e] tornaria o judeu impossível. Em última análise, a emancipação dos judeus é a emancipação da humanidade do judaísmo.

Quem teria dito isso? Algum "supremacista branco" contra George Soros (1930-)? Louis Farrakhan em seu estilo "judeus são cupins"? Não. Esse é o próprio Karl Marx em sua clássica efusão antissemita de 1843, *Sobre a Questão Judaica*.

Vale a pena manter as opiniões de Marx em mente enquanto você pondera sobre o surgimento de figuras como Ilhan Omar (1982-), a jovem refugiada somaliana que acabou de tomar a cadeira de Keith Ellison em Minnesota. Como muitos novos democratas, Omar foi alimentada pelo Partido Trabalhista Democrata-Farmerista, de extrema esquerda. "Israel hipnotizou o mundo", disse Omar no Twitter, "que Alá desperte o povo e ajude-o a ver as maldades de Israel".

Depois, há o agora procurador-geral de Minnesota: "Não podemos permitir que outro país nos trate como se fôssemos seus caixas eletrônicos. Esse país mobilizou sua diáspora na América para fazer sua oferta de compra da América", disse Ellison sobre Israel.

E não esqueçamos a própria "estrela" democrata, a jovem e popular Alexandria Ocasio-Cortez (1989-), que discutiu se Israel tem mesmo o direito de existir, mas tem sido repetitiva ao se referir à "ocupação" de Israel na Palestina.

O crescimento do antissemitismo é sempre um mau sinal em uma cultura, porque traz um espírito de intolerância ameaçadora e quebra de fé nas instituições civis mediadoras da sociedade. A velha visão de ser "anti--Israel, não antijudeu" não é muito verdadeira aqui, pois a linguagem dos esquerdistas ecoa a dos antissemitas do século XIX e início do século XX.

Para Kimball, esse flerte com o socialismo pode ser um subproduto previsível da riqueza, um gás tóxico emitido pelo poderoso mercado livre. Grande parte da retórica e do histrionismo pode ser atribuída à infantilidade forçada que ocorreu com o colapso das instituições educacionais. É claro, por exemplo, que Alexandria Ocasio-Cortez geralmente não tem ideia do que está falando. Não é, provavelmente, falta de inteligência nativa. É só que, quando se trata de realidades políticas e históricas, sua mente é uma *tabula rasa* impressionável.

Mas mesmo que o déficit educacional ajude a explicar o ressurgimento do socialismo, Kimball não tem certeza de que seria consolador. Ele sente uma crescente simpatia por aqueles que, lançando seus olhos sobre a oposição viciosa e intratável aos processos herdados da tradição política americana, veem o potencial para um grande desmoronamento, o que o comentarista político James Pierson chamou de "consenso quebrado".

O evangelho de Donald Trump do "realismo de princípio", sua versão gentil e patriótica da ampla igreja, o nacionalismo americano, a tudo isso oferece uma alternativa de cura. A irritada esquerda, que ainda não aceitou os resultados da eleição de 2016, se recusa a ocupar seu lugar na mesa que foi preparada para ela. Os confrontos cada vez mais violentos com jornalistas, políticos e apresentadores de programas de entrevistas são um sinal preocupante dessa recalcitrância. A normalização do antissemitismo é outra.

O tom preocupado, quiçá sombrio de Kimball não deve ser ignorado. Quem quer que acompanhe a política americana mais de perto sabe da radicalização crescente da esquerda democrata, incluindo seu flerte com o antissemitismo e sua aproximação com o islamismo. Todo esse perigoso circo acaba escondido atrás de uma cortina de fumaça, que acusa os conservadores defensores de Israel e da civilização judaico-cristã do que a própria esquerda é. E essa não foi sempre a tática esquerdista?

Hoje, qualquer crítica ao globalista financiador da extrema esquerda, George Soros, é logo vista como prova do antissemitismo de seus críticos, como se Soros em pessoa fosse um ícone do judaísmo. Ignora-se que o próprio Marx era também judeu, e isso em nada impediu seu antissemitismo escancarado. Infelizmente, há muitos judeus traidores do legado do judaísmo e de Israel, que debandam para o radicalismo de esquerda. Isso não muda o fato de que é a mesma esquerda que, no fundo, espalha o antissemitismo pelo mundo.

O Partido Democrata, cada vez mais radical, tem representantes feministas, socialistas e muçulmanos. Ilhan Omar é uma delas, colega de partido de Alexandria Ocasio-Cortez. Omar é muçulmana, anda com ícones do Islã radical, e já fez várias declarações antissemitas. Israel é praticamente o capeta na Terra e não tem direito sequer de existir.

Em 2019, empolgada pelo silêncio obsequioso da mídia, a moça resolveu intensificar o tom de ataques judeufóbicos, e até a imprensa e seus colegas democratas tiveram que reclamar, pois a coisa ficou escancarada demais. Nancy Pelosi (1940-), então líder democrata, cobrou um pedido de desculpas aos judeus. Omar, de olho em seu futuro político, precisou "ceder", mas nem tanto. Fez o "pedido de desculpas" mais cafajeste que existe, aquele que logo vem seguido de um "mas" que pretende justificar 100% sua postura.

É como o marido que bateu na mulher, e depois vai "pedir desculpas" pelo olho roxo que deixou como marca, dizendo: "Eu não deveria ter feito isso, *mas* você também não tinha nada que ter usado aquela roupa…". Alguém leva a sério esse pedido de desculpas? Alguém acha que ele está realmente arrependido? Alguém imagina que ele não vá repetir seu ato covarde?

Pois foi justamente o que fez Omar. Ela "pediu desculpas" pelos comentários antissemitas, e logo emendou com justificativas de vitimização, alegando que é bom tudo isso para que as pessoas entendam o preconceito que ela sofre, que os muçulmanos sofrem. Ou seja, o que era para ser simplesmente um pedido de desculpas aos judeus virou mais um capítulo de mimimi de quem aplica o "ódio do bem": eles podem destilar preconceito, pois são supostamente alvos de preconceito.

Ben Shapiro (1984-) ironizou: "Eu peço desculpas pelos meus comentários antissemitas. Agora eu posso dobrar meus comentários antissemitas, mas colocá-los com palavras levemente distintas". Dave Rubin usou duas chamadas da CNN para mostrar como a emissora não passa de um canal de propaganda esquerdista. Numa delas, o filho de Trump é tratado como preconceituoso por ter feito comentários infelizes sobre índios e sobre a "herança" indígena de Elizabeth Warren (1949-); na outra, o destaque é para o tal pedido de desculpas de Omar, por comentários criticados como antissemitas. O duplo padrão é evidente.

O fato lamentável é que os democratas se tornaram extremistas, convidaram radicais para o partido, e contam com um relativo silêncio da mídia "progressista", o que apenas coloca mais lenha na fogueira. É um círculo vicioso, uma bola de neve que tem expelido os mais moderados e criado um clima de segregação geral. Mas preconceituosos são sempre os outros, os conservadores...

O "esquadrão" democrata conta com duas víboras que dominam essa arte da judeofobia mascarada: Ilhan Omar e Rashida Tlaib (1976-). Elas resolveram montar um esquema de marketing usando Israel como alvo. Planejaram uma viagem ao país em 2019, com itinerário que sabiam que seria vetado pelas autoridades israelenses. No pedido de autorização usaram a Palestina como destino para se referir a Israel, e estariam com grupos radicais que pregam abertamente a destruição de Israel ou apoiam o BDS, o boicote.

Tiveram o pedido negado, o que desejavam e sabiam que aconteceria. Pronto, já poderiam bancar as vítimas: Israel "fascista" impede congressistas americanas de visitar o país, as únicas muçulmanas do Congresso. Como se o veto tivesse alguma ligação com o fato de serem muçulmanas, num país cujo parlamento, o Knesset, conta com minorias muçulmanas. Tudo muito ridículo, mas o show da esquerda é feito para cegos.

Após a descoberta de que Rashida Tlaib tem uma avó vivendo em território israelense, as autoridades concederam seu visto, com a condição bastante razoável de que ela não se encontrasse com grupos ligados a terroristas e não promovesse a campanha de boicote. Ela não aceitou. Inventou que não poderia se submeter a tais condições "terríveis", mas no fundo deixou claro que seu ódio a Israel importa mais do que seu amor pela avozinha. Assim é a esquerda...

E agora o público está cobrando delas uma reação ao fato de que a Autoridade Palestina resolveu banir totalmente qualquer manifestação LGBT. Só lembrando: Israel tem uma das maiores paradas gays do mundo, em Tel Aviv. Quem preserva mesmo as liberdades individuais? Quem protege mesmo as minorias?

Sob pressão dos críticos, Ilhan Omar acabou respondendo em seu Twitter. E a resposta surpreendeu exatamente zero pessoas. Ela preferiu... atacar Israel em vez de condenar o preconceito palestino. "Fingir que esse ato de alguma forma equilibra ou mitiga Israel, violando a dignidade e os direitos dos palestinos – ou mina a defesa dos direitos dos palestinos – é deplorável!", escreveu Omar.

Em outra mensagem, ela se referiu a essas críticas como mera "distração" para a "ocupação" da Palestina por Israel. Não adianta lembrar que Israel foi, antes, atacado inúmeras vezes, e que precisa se defender. Fatos e lógica não importam nessa batalha ideológica. Só a narrativa importa.

Os palestinos podem jogar gays de prédios ou enforcá--los em praça pública, que lá estará o "esquadrão", em nome das minorias, apontando o dedo para Israel, a democracia próspera na região apontada como o grande vilão do universo por quem defende regimes nefastos e opressores.

Após o massacre de judeus em outubro de 2023, e a evidente reação de Israel, o "esquadrão" saiu às ruas com o cântico "From the river to the sea, Palestine will be free", ou seja, "do rio Jordão até o mar, a Palestina será 'livre'", isto é, sem judeus. As manifestações contavam com apoiadores do Hamas, claro. Essa gente não é mais capaz de ocultar sua ideologia nazista...

É fácil entender a estratégia de Trump ao bater nessas congressistas e, assim, forçar as lideranças do Partido Democrata a sair em sua defesa. Trump cola a imagem do partido nessas extremistas, o que desgasta bastante a imagem dos democratas em geral. Ninguém razoável, afinal, suporta essa turma fanática.

ELON MUSK X GEORGE SOROS

Este livro foi escrito por um católico, não por um judeu. Creio que esta defesa embasada do legado de Israel tenha ainda mais peso por não partir de um israelense ou de um judeu. Não é preciso ter "lugar de fala" aqui, pois a verdade pode ser conhecida de forma objetiva e imparcial, para quem foca nos fatos. A crença de que só um negro possa falar de racismo ou só uma mulher possa falar de aborto tem sido um instrumento da ideologia marxista para se blindar de críticas e interditar o debate. Aliás, Marx não era um proletário, nunca pisou numa fábrica, mas queria falar em nome de todos os proletários do mundo.

Digo isso pois o debate sobre o Oriente Médio e Israel deve ser calcado em bons argumentos e em fatos, não em narrativas e apelos à autoridade. Há judeus, que mais parecem traidores de Israel e do povo judeu, que por vários motivos flertam com seus inimigos. E há, claro, não judeus que simpatizam com Israel, com o povo judeu visto, em geral, como digno de muitos méritos e reconhecimento. Um caso que ilustra bem isso é o embate entre os bilionários Elon Musk (1971-) e George Soros. Foi algo que incendiou as redes sociais em 2023. Flavio Gordon, tampouco judeu, dedicou uma coluna na *Gazeta do Povo* ao tema, e reproduzo aqui pela sua importância nesta questão:

George Soros, Elon Musk e o Antissemitismo

"Os defensores de Soros tentam calar toda crítica ao bilionário tachando-a de antissemita, pelo fato de Soros ser judeu. Mas ninguém financiou mais ataques destrutivos a Israel e à comunidade judaica americana do que Soros. Ele é, no máximo, um judeu auto-odioso, e não deve ser poupado de crítica por conta de sua ancestralidade" (Farley Weiss, presidente da Israel Heritage Foundation).

Em 15 de maio deste ano [2023], Elon Musk comparou George Soros ao personagem Magneto, vilão da Marvel. Em resposta, um seguidor lhe recordou a origem de ambos – judeus sobreviventes do Holocausto –, e disse não entender os ataques a uma pessoa com tão boas intenções. Musk retrucou negando essas boas intenções, afirmando que Soros pretende "erodir a própria estrutura da civilização", e que "odeia a humanidade".

Musk já vinha criticando Soros de maneira contumaz, sobretudo por seu impulso niilista e irresponsável de patrocinar a política imigratória de "portas abertas", que facilitou a entrada de ondas de extremistas islâmicos no Ocidente, e por sua agenda antinatalista ao redor do mundo. Meses depois de acusar o fundador da Open Society de odiar a humanidade, por exemplo, ele tuitou uma mensagem claramente antissorosiana e antiglobalista: "Ter filhos vai salvar o mundo".

Para quem tem acompanhado as críticas do dono do X – que as repetiu em entrevista ao *podcaster* Joe Rogan (1967-) –, fica claro que sua associação entre Soros e Magneto buscou ressaltar o ódio à humanidade supostamente partilhado pelos personagens, e não a sua comum ascendência judaica. Ainda assim, apesar de jamais ter dito nada contra Israel ou contra os judeus, Musk foi acusado de antissemitismo. E a acusação partiu, sobretudo, de jornalistas, intelectuais e políticos judeus, que parecem ter caído num truque frequente utilizado por Soros e seu exército de propagandistas (voluntários ou não).

Um editorial do jornal israelense *The Jerusalem Post* é bem representativo da opinião de muitos judeus em relação ao caso. Intitulado "Desta vez, todo judeu está com George Soros", o texto conclui que o suposto ataque de Musk deveria fazer "com que cada judeu, independentemente de sua orientação ideológica, defendesse Soros". Na revista *The Atlantic*, Musk foi acusado pelo jornalista Yair Rosenberg de, ao tratar Soros como um vilão de história em quadrinhos, reproduzir uma velha teoria da conspiração antissemita, remetendo aos famigerados *Protocolos dos Sábios de Sião*, documento forjado que, no século XIX, revelava um pretenso plano judaico de dominação global. Ted Deutch (1966), diretor executivo do American Jewish Committee, chegou a chamar os comentários de Musk de "*Os Protocolos dos Sábios de Sião* na era da internet". E até o ministro de Relações Exteriores de Israel, David Saranga (1964-), aderiu à tendência de acusar Musk de fomentar o antissemitismo.

Mas é justa a acusação? Seria Musk um antissemita, ainda que só tenha se referido à atuação de Soros enquanto indivíduo (um indivíduo, aliás, cujos planos de impor suas vontades políticas em nível global são bem documentados), jamais na qualidade de membro da comunidade judaica? E, por outra, seria Soros realmente um judeu-modelo, vítima paradigmática de um vetusto e atávico antissemitismo, como sugeriram esses opinadores?

Como diz um clássico do humor judaico, ali onde houver dois judeus, haverá fatalmente três opiniões diferentes. E, de fato, alguns judeus não compraram a narrativa acima descrita. Alan Dershowitz foi um deles. No próprio *The Jerusalem Post*, o famoso advogado americano recusou-se a defender Soros e a aderir ao linchamento de Musk, observando um dado crucial da questão: o fato de Soros ser um virulento antissionista, que jamais demonstrou simpatia para com o Estado de Israel e amizade pelo povo judeu. Dershowitz argumenta que ninguém no planeta fez tanto mal a Israel quanto George Soros, sobretudo por haver financiado duas organizações que inclinaram decisivamente o campo progressista nos EUA contra Israel: a Human Rights Watch e a J. Street, que, com apoio da Open Society, passaram a ser comandadas por antissionistas radicais.

A lembrança de Dershowitz é oportuna. Em março de 2007, por exemplo, por ocasião da vitória eleitoral do Hamas em Gaza, Soros publicou no *Financial Times* um artigo intitulado "A América e Israel devem abrir as portas ao Hamas". No texto, o filantropo acusava o erro do governo Bush ao apoiar Israel em sua recusa a reconhecer o Hamas como parte legítima no governo de Gaza. "Com forte apoio americano, Israel recusou-se a reconhecer o governo democraticamente eleito do Hamas" – escreveu. "Houvesse Israel aceitado o resultado eleitoral, isso poderia ter fortalecido a ala política mais moderada do grupo".

Desde então, Soros tem sido um obsessivo crítico das políticas de Israel e dos EUA em relação ao terrorismo islâmico, bem como um patrocinador da imigração descontrolada. Quando, em 14 de agosto de 2016, houve o famoso episódio do "Soros Leaks" – o vazamento de milhares de documentos internos da Open Society Foundations –, ficamos sabendo mais detalhes desse contínuo financiamento de Soros a ONGs e movimentos antissionistas e pró-Palestina. Portanto, quando, após os terríveis atentados do dia 7 de outubro em Israel, testemunhamos a esquerda mundial condenando a vítima, minimizando a dimensão do crime e, em alguns casos, até mesmo glorificando a monstruosidade praticada pelo Hamas, devemos lembrar que parte dessa agenda é patrocinada por Soros.

É o caso, por exemplo, do Black Lives Matter, cuja filial em Chicago chegou a postar no X a imagem de um paraquedista do Hamas, acompanhada dos dizeres "Eu apoio a Palestina". E, mais grave ainda, é também o caso da Al-Shabaka, também conhecida como The Palestinian Policy Network, um *think tank* transnacional formalmente dedicado a fomentar o debate público sobre os direitos humanos na Palestina, mas que, de fato, é um agente de propaganda do islamonazismo. Tendo, na página 13 de seu relatório anual de 2022-2023, ostentado o apoio financeiro da Open Society (dentre outras organizações), a Al-Shabaka tuitou estas palavras no dia seguinte ao *pogrom* do dia 7 de outubro:

"A Al-Shabaka rejeita as fronteiras coloniais impostas pelo regime de Israel, que fragmentam e, em última instância, apagam a existência palestina. A violação dessas fronteiras serve para expandir o imaginário palestino rumo a possibilidades de resistência e libertação coletiva. Reconhecemos que a descolonização não é apenas uma metáfora; não se trata apenas de afirmações e análises, mas de um processo ativo que exige o desmantelamento do poder colonial e a demanda por terra. Cerramos fileira junto àqueles comprometidos com essa causa e com a libertação dos palestinos mundo afora".

George Soros, tido por vítima paradigmática do pretenso antissemitismo de Musk e outros críticos de seu projeto político global, simplesmente financiou uma entidade islâmica orgulhosa de "cerrar fileiras" com quem cometeu toda aquela selvageria. E, ainda assim, há quem, partindo do fato acidental de uma ascendência judaica que Soros jamais pareceu valorizar (e antes pelo contrário), tenha a cara de pau de retratar automaticamente os seus críticos como antissemitas e reeditores dos *Protocolos* (cujas versões – aí, sim – circulam até hoje no Oriente Médio, nas mãos daqueles que, como o próprio Soros e seus soldadinhos, combatem o sionismo).

No Brasil, o sociólogo Demétrio Magnoli (1958-) foi um dos que já incorreram nessa falácia. Em 23 de março de 2017, ele publicara em *O Globo* um artigo intitulado "A volta dos Sábios de Sião", que partia de um libelo antiglobalista extraído do site russo *Fort Russ* – engrenagem do "núcleo duro do putinismo", segundo o autor – para atacar os assim chamados "nacional-populistas", em particular Donald Trump e seus apoiadores, por suas críticas ao globalismo de tipo sorosiano.

Magnoli acusava-os de tudo um pouco, lançando mão dos rótulos infamantes habituais, tais como "teóricos da conspiração", "xenófobos", "radicais" etc. A acusação mais grave, todavia, estava já resumida no título do artigo. Ao fazer referência aos *Protocolos*, e também retratar Soros como vítima de uma teoria da conspiração, Magnoli tinha por objetivo colar nos críticos do globalismo a pecha de antissemitas.

Mas, aparentemente tão preocupado com o antissemitismo, Magnoli só conseguiu enxergá-lo nos críticos do globalismo, jamais em seus entusiastas, especialmente nos globalistas antissionistas. Ora, não é demais lembrar que há poucas instituições no mundo tão antissemitas quanto a própria ONU, a face institucionalmente mais visível do globalismo, e cujo viés anti-Israel é bem conhecido, ilustrado em centenas de resoluções absurdas, a exemplo da infame 3379 (que tratava o sionismo como uma forma de racismo, e que levou anos para ser anulada) e da mais recente 2234, que condenou as colônias israelenses na Cisjordânia, e foi aprovada graças à vergonhosa abstenção dos EUA, naquele que foi o último de uma série de atos de hostilidade do governo Barack Obama – o presidente mais anti-Israel da história americana, apoiado por Soros – contra o povo israelense.

O curioso é que o mesmo Magnoli que viu antissemitismo nas críticas a Soros tenha sido também autor de uma coluna que equiparava antissionismo e antissemitismo. Publicada na *Folha de S.Paulo* em agosto de 2014, e intitulada "O sofisma antissemita", lia-se nela o seguinte: "O antissemita polido mobiliza um sofisma básico: a distinção entre antissemitismo e antissionismo […]. Um século atrás, a distinção entre antissemitismo e antissionismo era um argumento político admissível; desde pelo menos 1948, não passa de camuflagem do ódio aos judeus".

Concordo com esse argumento de Magnoli. Depois dos eventos de 7 de outubro, sobretudo, restou claríssimo que o antissionismo não passa de um disfarce para o antissemitismo. Mas, se isso é verdade, George Soros, talvez o maior financiador do antissionismo no Ocidente, não pode ser considerado uma vítima quintessencial do antissemitismo, mas, logicamente, um dos seus principais promotores. O fato de ser incidentalmente judeu (como o foram tantos judeus auto-odiosos e antissemitas, a começar por Karl Marx e a terminar por Breno Altman) não tem nada a ver com a história, e não o impede de agir, como tem efetivamente agido por intermédio de seus agentes globais de influência, contra os interesses dos judeus, em especial dos israelenses. E esse é, precisamente, um dos cernes da crítica antissorosiana, a qual, portanto, nada tem de antissemita, e muito pelo contrário. Como conclui brilhantemente Dershowitz:

> A minha crítica a Soros não inclui comparações com Magneto, que, assim como Soros, sobreviveu ao Holocausto. Não faço essa comparação porque nunca tinha ouvido falar nesse supervilão, mas concordo com Musk que as atitudes, as motivações e as participações de Soros contribuem, sim, para erodir a "estrutura da civilização" [...]. Todo judeu deve condenar o apelo ilegítimo e antissemita à ascendência judaica de Soros. Mas esse apelo não deve coibir ou interditar a crítica legítima à influência individual de Soros sobre o mundo, não enquanto judeu, mas enquanto um supervilão por mérito próprio.

ANTISSEMITISMO *WOKE*

Ao enxergar tudo pela ótica marxista de opressores e oprimidos, a ideologia *woke* acaba sendo um poderoso instrumento do antissemitismo no mundo. Afinal, os judeus são vistos como "brancos" e, portanto, cúmplices das estruturas de poder e privilégio que dominam os oprimidos. É o que explica em detalhes David L. Bernstein (1966-) em *Woke Antisemitism: How a Progressive Ideology Harms Jews* ["Antissemitismo Desperto: Como uma Ideologia Progressista Prejudica os Judeus", em tradução livre]. O interessante é que Bernstein sempre foi de esquerda, um "liberal" democrata, eleitor do Partido Democrata. Isso não o impediu de enxergar com maior clareza o que a esquerda vem fazendo em relação aos judeus: alimentando o monstro que deseja devorá-los.

O prefácio é escrito por Natan Sharansky (1948-), um judeu que viveu nos campos de concentração soviéticos e autor de *The Case for Democracy* ["O Caso para a Democracia", em tradução livre], onde faz uma divisão clara entre sociedade livre e sociedade de medo: se você pode ir à praça pública e expressar suas opiniões sem medo de retaliações, então você vive numa sociedade livre. Sob o avanço da ideologia *woke*, os Estados Unidos cada vez mais se transforma numa sociedade do medo. Sharansky se diz preocupado com a emergência de um dogma não muito diferente da ideologia totalitária sob a qual cresceu na União Soviética, que vem ameaçando várias instituições culturais americanas.

Após a vitória dos Estados Unidos na Guerra Fria e o colapso da União Soviética, Sharansky se convenceu de que a ideologia antissemita e de ódio tinha sido derrotada para sempre. Infelizmente, ele constata, ela voltou em formas distintas hoje, frequentemente sob o manto de "justiça social". Na ideologia *woke*, diz ele, se você substitui "raça" por "classe", você chega exatamente no dogma marxista-leninista que doutrinava as crianças soviéticas nas escolas e era a base do ódio aos dissidentes e contra qualquer um que ousasse questionar a linha partidária.

Nessa visão de mundo, o palestino recebe uma identidade de vítima, enquanto o israelense é tido como representante de um projeto colonialista. A interseccionalidade une o progressista *woke* e as formas mais primitivas de antissemitismo. Bernstein, endossado por Sharansky, mostra como o conceito fixo de privilégio – privilégio branco, privilégio masculino – que define quem é o opressor com base em sua identidade, vai inevitavelmente levar a comunidade judaica e Israel a serem rotulados como opressores. Isso já está acontecendo, aliás.

Bernstein define a ideologia *woke* como um pensamento pós-moderno que mantém dois pilares: o viés e a opressão não são questões de atitudes individuais, mas estão enraizadas nas estruturas e sistemas da sociedade; e somente aqueles que viveram a experiência da opressão podem ter o insight de definir opressão para o restante da sociedade. É o tal "lugar de fala", que serve, na prática, para interditar qualquer debate sério sobre o assunto. Ao rejeitar a priori qualquer possibilidade de explicação alternativa, a ideologia *woke* totalitária encerra o discurso liberal e empodera vozes radicais mais e mais dogmáticas.

O autor foi experimentando na prática essa sensação ao comandar uma importante entidade judaica, cada vez mais tomada pela mentalidade *woke*. Mesmo simpático a várias teses "progressistas", Bernstein foi se dando conta de como essa postura radical impedia qualquer discussão mais profunda sobre os temais sociais delicados. Criado na cultura judaica de incentivo a todo tipo de debate, Bernstein passou a ver com enorme preocupação essa guinada em várias instituições, como a própria American Civil Liberties Union (ACLU), conhecida por sua defesa intransigente da liberdade de expressão no passado. Bernstein diz:

> Sendo um libertário civil, como era a maioria dos judeus; amando debater, como muitos judeus amam; experimentando o antissemitismo, como a maioria dos judeus; e tendo crescido num lar de imigrantes patrióticos cheios de gratidão pela América, como fizeram quase todas as famílias de imigrantes, estava naturalmente predisposto a opor-me à ideologia *woke* porque esta zomba das liberdades civis, que alguns ideólogos *woke* veem como uma função da supremacia branca; sufoca o debate e o discurso abertos; alimenta o antissemitismo de esquerda; e vê a América como um Estado opressivo.

A tradição de debate, que é central na identidade dele como judeu, merece ser protegida e alimentada, mas vem sendo ameaçada por pessoas que acham ter todas as respostas. Como disse Epiteto, aquele que acha que sabe tudo não aprende nada. Falta humildade aos adeptos da ideologia *woke*, e a humildade está na premissa básica para os infindáveis debates dos judeus. Bernstein se deu conta desse perigo já na universidade, ao se deparar com uma aula sobre Estudo de Gênero, e se ver impedido de tecer comentários divergentes ou sequer fazer perguntas. Ali ele percebeu estar diante de uma nova religião dogmática. "A ideologia *woke* é o pós-colonialismo aplicado à cena doméstica nos países ocidentais, dividindo nitidamente as pessoas em vitimizadores e vítimas", constatou.

Além de encerrar qualquer debate, o que já seria gravíssimo e contrário ao legado judaico, a ideologia *woke* ameaça o povo judeu ao colocá-lo do lado dos opressores e justificar o antissemitismo como uma reação legítima dos "oprimidos". A dificuldade de criar um bom relacionamento entre a comunidade judaica e a comunidade negra, mesmo quando era líder de uma instituição voltada para direitos civis e concordando com várias das medidas sociais pregadas pelos líderes negros, mostrou a Bernstein que a ideologia *woke* estava apagando o judeu da equação e do debate, que este só teria voz se admitisse ser parte da "elite privilegiada" e delegasse aos negros – ainda que antissemitas – todo o controle.

O reverendo Louis Farrakhan (1933-), por exemplo, emergiu como um líder carismático do movimento Nação do Islã e tornou-se célebre pelo sucesso ao organizar a "Million Man March" em 1995, uma manifestação que juntou quase um milhão de homens negros em Washington para protestar contra a degradação socioeconômica da minoria afro-americana. O único problema é que Farrakhan é claramente antissemita, e sempre atuou para colocar lenha na fogueira das tensões entre negros e judeus – lembrando que algo como 8% dos judeus são negros.

Farrakhan fez vários comentários depreciativos sobre os judeus, chamando o judaísmo de "religião de sarjeta" entre outras coisas. Em 2018, ele criticou "o judeu satânico" e disse a seus seguidores: "Quando eles falarem sobre Farrakhan, me chamarem de disseminador de ódio, vocês sabem como eles fazem – me chamarem de antissemita, pare com isso. Eu sou anticupim!". Muitos negros acharam que era necessário ter alguém como Farrakhan na liderança para inflamar os ânimos, mas o apoio a alguém claramente judeufóbico impediu qualquer bom diálogo entre as comunidades judaicas e negras.

Como um "progressista", Bernstein acreditava na importância da diversidade, mas não encarava a sociedade como um jogo de soma zero, onde uns precisam perder para outros vencerem. Ele queria trazer pessoas com diferentes *backgrounds*, experiências de vida, etnicidades, mas para que fossem capazes de produzir visões comuns para endereçar as questões sociais. Isso era bem diferente da visão *woke*, que dividia todos com base em identidades estanques e, a partir disso, colocava indivíduos em grupos de oprimidos e opressores, sem chance de sequer falarem o que pensam sobre cada assunto.

A retórica desses movimentos civis mudou da defesa de oportunidades às minorias para uma visão de afirmar a opressão deles como um fatalismo estrutural. As aspirações de Martin Luther King Jr. de viver num país que não enxerga cores, mas, sim, caráter, ficaram para trás e deram lugar a uma condenação geral do sistema, tido como patriarcal e fruto da supremacia branca. Sendo os judeus associados aos brancos, eles eram então parte do problema, nunca da solução. Bernstein começou a juntar os pontos em 2022, e no começo de 2023 escreveu:

> Os ideólogos progressistas acreditam que apenas as pessoas com poder podem ser racistas. Sob este paradigma de poder em que o vencedor leva tudo, a fórmula é racismo = intolerância + poder, o que significa que não pode ser racista se não tiver poder, e se tiver poder, não pode ser uma vítima. Com o tempo, os progressistas passaram a ver os judeus como um grupo privilegiado e parte do poder estabelecido americano, e isto dá pouca credibilidade às reivindicações judaicas de racismo. Assim, quando os judeus alegam racismo por parte de árabes, muçulmanos ou afro-americanos, os progressistas tendem a permanecer visivelmente silenciosos porque, na sua opinião, os judeus não podem ser vítimas e os grupos minoritários "impotentes" não podem ser culpados de racismo.

A ideologia simplista de oprimidos e opressores alimenta, portanto, o antissemitismo ao ligar a identidade judaica ao grupo privilegiado, sem espaço para qualquer nuance histórica ou mérito individual. Nas palavras de Bernstein:

> Se um grupo se considera oprimido, verá Israel como parte da estrutura de poder dominante que exerce a opressão e os palestinos como vítimas. Esse grupo oprimido estará suscetível a unir forças com o movimento BDS. A crescente aceitação da interseccionalidade

representa, sem dúvida, o desafio mais significativo das relações comunitárias do nosso tempo. Em última análise, o quão popular – e quão ameaçadora – a interseccionalidade se torna depende do grau em que a extrema esquerda, que constitui cerca de 10% da sociedade, consegue inculcar a sua visão de mundo "preto e branco", as suas perspectivas simplistas e o ressentimento para com aqueles que são considerados poderosos. com a esquerda *mainstream*.

A ideologia *woke* se vê não apenas como um movimento social para acabar com o racismo, mas como uma visão de mundo completa que substitui a ordem supremacista branca existente. Por isso, diz Bernstein:

> A ideologia *woke* insiste que apenas os negros têm o direito de enunciar as experiências e reivindicações negras contra a sociedade, e que todos os outros devem respeitar os seus pronunciamentos. Para cair nas boas graças dos ativistas negros, parecia que todos teriam de adotar estas devoções. Acontece que muitos progressistas estavam ansiosos para cair nas boas graças deles.

A ideologia *woke* prescreve apenas uma voz e então força duas escolhas: adotar sua ideologia ou ser parte do problema.

Com base nessa postura, a ideologia *woke* disseminou a cultura do cancelamento pelo mundo. No começo de forma mais sutil, depois de forma mais escancarada, a sociedade passou a nutrir profundo medo de ser alvo desse cancelamento, que tem sérias consequências reais para os indivíduos. Muitos perdem empregos, amigos, são ostracizados ou acabam alvos de agressões. Vários judeus com viés "progressista" acabaram jogando esse jogo, cedendo aos ativistas *woke* e permitindo o avanço do monstro que hoje os devora.

Invalidar a opinião de alguém com base no seu lugar percebido na hierarquia interseccional é, na verdade, a base ideológica da cultura do cancelamento. Para Bernstein, essas afirmações não são apenas iliberais, mas também estão divorciadas da realidade. Primeiro, nem todas as vozes "marginalizadas" concordam entre si. Por exemplo, os negros – como todas as pessoas – são politicamente diversos. De acordo com a Pew Research, mais de 60% dos negros se opõem à ação afirmativa no ensino superior. A grande maioria não é *woke*. Em segundo lugar, as pessoas marginalizadas – como todas as pessoas – às vezes estão erradas. A experiência vivida, embora importante, é apenas um dado para a compreensão da realidade social.

Abro um parêntese para falar de Herbert Marcuse, que merece uma menção especial aqui. Seu conceito de "tolerância repressiva" foi a chave para liberar as portas do Inferno. Theodore Dalrymple dedicou um texto ao assunto, alegando que as ideias de Marcuse eram absurdas e risíveis, mas muita gente resolveu levar a sério. Ele explica que Marcuse popularizou a noção de "tolerância repressiva", segundo a qual a liberdade de expressar qualquer opinião sem medo de represálias resultou, ou serviu, à repressão: enganou as pessoas fazendo-as supor que eram livres.

Podiam dizer o que quisessem, mas viviam numa sociedade em que não decidiam nada por si próprios e em que eram estrangulados por leis, convenções, códigos morais, tudo para o benefício material de uma pequena elite (Marcuse era uma espécie de marxista).

Esta noção, expressa na prosa mais monótona, apelava aos adolescentes utópicos que queriam negar que eles eram a geração mais afortunada que já viveu e sonhavam com uma vida completamente sem restrições ao seu prazer imediato.

Meio século depois, a "tolerância repressiva" assumiu um significado diferente, que na verdade tem alguma aplicação prática. É a repressão realizada em nome da tolerância. Eis o que Marcuse plantou e a esquerda radical moderna colheu: todas as instituições "supostamente" em defesa da liberdade individual são instrumentos de poder de uma elite para escravizar o povo, e toda reação do "povo", por mais violenta que seja, é uma luta libertadora legítima.

A esquerda, por essa ótica distorcida, está sempre certa, mesmo quando flerta abertamente com o terrorismo; a direita está sempre errada, pois representa a elite poderosa. Casada com a visão marxista de opressores e oprimidos, essa ideia foi responsável por vários movimentos agressivos, extremamente violentos, tudo em nome da "tolerância" e do combate à "repressão".

É o que explica, por exemplo, socialistas apoiando Hamas contra Israel. Num debate retratado no *Washington Post*, um militante pró-Hamas alega para sua colega judia "progressista" que sua premissa é sempre defender os "oprimidos", os "desvalidos", os "pobres". E como os palestinos são mais pobres, ele sempre vai ficar ao lado dos palestinos, "apesar dos excessos de uma minoria como o Hamas".

Eis a senha para estuprar, degolar crianças, mutilar idosos: a miséria relativa dos palestinos sempre os colocará como vítimas. Não importa que a pobreza seja justamente causada pelo Hamas, que absorve todos os recursos humanitários para fazer foguetes para matar judeus, que oprime o povo de fato, que odeia mais as crianças israelenses do que ama as palestinas.

O Black Lives Matter promove depredação e violência, mas tudo em nome da "tolerância". A Antifa adota os métodos fascistas, mas em nome do combate ao fascismo. A imprensa aborda cada caso buscando encaixar em sua narrativa prévia, herdada de Marcuse e Marx. Se o assassino é trans que odeia brancos ricos, como no caso de Nashville, então o manifesto é ocultado do público.

Todos eles se julgam defensores da tolerância, com seus métodos agressivos e mentirosos. Eles lutam contra o "sistema", que seria uma ferramenta da elite branca no poder, mesmo quando o presidente é um esquerdista negro. Não há como argumentar com essa turma, pois suas ideias não derivam da razão, e, sim, da necessidade de justificar suas emoções. Eles são sempre "do bem", por mais que estejam ao lado da escória da humanidade, aplaudindo as maiores barbaridades possíveis. Marcuse é o pai intelectual desses alienados.

Voltando ao livro de Bernstein, essa esquerda *woke* trocou o conceito de igualdade perante a lei pelo de igualdade de resultados, e todo tipo de diferença nos resultados entre grupos passou a ser explicada com base no racismo estrutural. Logo, como os judeus como grupo se destacam positivamente, isso só pode ser fruto de sua cumplicidade nas estruturas de poder. E, com base nisso, os judeus nunca podem ser oprimidos, pois são sempre os opressores. No mais, o antissemitismo esquerdista não é um problema, pois é "do bem", visa a reparar distorções e injustiças sociais. A referência circular se fecha: odiar judeus é um grito de liberdade do povo oprimido.

Para Bernstein, se há um momento específico em que muitos judeus se deram conta de que a comunidade judaica tem um problema com a ideologia *woke* foi em maio de 2021, quando mais um conflito estourou entre Israel e o Hamas. Em vários outros conflitos, como o de junho de 2008, o de dezembro do mesmo ano, o de novembro de 2012, o de junho de 2014 e o de maio de 2018, havia certo padrão na cobertura da mídia. Primeiro, a maioria reconhecia o direito de Israel de reagir, e quando começavam a surgir imagens de "fatalidades palestinas", a cobertura virava anti-Israel e falava em "reação desproporcional". Mas, em maio de 2021, Israel sequer teve o benefício da dúvida e foi demonizado como opressor desde o começo.

Era a ideologia *woke* em ação. No massacre de 2023, houve algum breve período de espera na demonização, pois o ataque do Hamas foi extremamente bem-sucedido sob a ótica terrorista, e as imagens que os próprios terroristas divulgaram chocaram o mundo. Mas, apesar da chacina impressionante, da comoção gerada por cenas assustadoras, bastou passar um curto espaço de tempo para que Israel fosse o alvo dos ataques e o massacre de judeus ficassem esquecidos num lugar distante.

Num artigo de 2021 de Pamela Paresky, publicado na *Sapir*, consta o truque perfeito dos antissemitas: "Os judeus, que nunca foram vistos como brancos por aqueles para quem ser branco é um bem moral, são agora vistos como brancos por aqueles para quem a brancura é um mal absoluto. Isto reflete a natureza do antissemitismo: independentemente da queixa ou da identidade dos lesados, os judeus são responsabilizados. A Teoria Racial Crítica não apenas facilita a demonização dos judeus usando a linguagem da justiça social; torna difícil não fazê-lo".

Cara eu ganho, coroa você perde: o judeu é atacado pelo antissemita de "direita", o supremacista branco, por não ser branco como ele; e pelo antissemita de esquerda, por ser branco e, portanto, "poderoso". Foi com base nessa premissa absurda que a atriz Whoopi Goldberg (1955-), no programa *The View* em janeiro de 2021, diminuiu o Holocausto, tratado por ela como algo desumano, mas não sobre raça. Quando seus colegas a pressionaram com base no claro conceito de supremacia branca dos nazistas, a atriz, mulher negra, dobrou a aposta e disse que o Holocausto foi algo de branco contra branco: "Mas estes são dois grupos brancos de pessoas. Isso são pessoas brancas fazendo isso com pessoas brancas, então todos vocês vão brigar entre si". Whoopi Goldberg foi suspensa duas semanas do programa pela repercussão de sua fala.

Como Ben M. Freeman argumenta em seu livro *Jewish Pride* ["Orgulho Judeu", em tradução livre], de 2021:

> Um aspecto crucial da experiência judaica hoje é que estes enquadramentos específicos dos judeus como um grupo todo-poderoso tornam difícil para alguns, especialmente na esquerda, reconhecer e abordar o antissemitismo. Porque consideram os judeus poderosos

e privilegiados, isso também moldou a forma como os da esquerda expressam o seu próprio antissemitismo. Por outras palavras, o antissemitismo aumenta – os judeus são odiados pelo seu poder percebido.

David Bernstein, ele mesmo um "progressista" que ficou cada vez mais desiludido com as concessões dos "progressistas" aos radicais *woke*, chama a atenção para o perigo: "Esta incapacidade de reconhecer o antissemitismo *woke* e o seu impacto sobre os judeus americanos é um ponto cego duradouro na comunidade judaica americana. Não é de admirar: muitos líderes judeus estão a apoiar e, em alguns casos, a vender a própria ideologia que fomenta o antissemitismo progressista".

Nesse processo, muitos judeus têm abandonado suas próprias tradições, a paixão pelo debate livre, pelo questionamento. Para Bernstein, o que os antissemitas mais odeiam sobre os judeus – sua recusa em se conformar – tem sido justamente sua função mais vital na sociedade. Hoje, os judeus "progressistas" são obrigados a apagar sua identidade judaica se quiserem ser aceitos em comunidades "progressistas", exatamente como tinham que fazer na União Soviética: abandonar o judaísmo para aderir ao marxismo totalitário. A única forma de reverter essa maré, para Bernstein, é identificar e reunir a maioria silenciosa de judeus que querem conversar uns com os outros e enfrentar o antissemitismo em ambos os lados do espectro político.

ANÃO DIPLOMÁTICO

Após o massacre de israelenses em outubro de 2023 pelo Hamas, o presidente Lula (1945-) demorou dias até chamar o ato de terrorismo. E quando o fez, foi só para criar uma falsa equivalência entre os lados e passar a dedicar toda a sua energia no ataque a Israel, um "Estado assassino":

> Aos 78 anos, eu já vi muita brutalidade e violência. Mas eu nunca vi uma violência tão desumana contra inocentes. O Hamas cometeu ato de terrorismo, mas a resposta de Israel também é letal contra crianças e mulheres inocentes. Destruição de tudo que foi construído com muita luta, como escolas, hospitais. O governo brasileiro vai continuar lutando pela paz, cobrando dos outros presidentes um comportamento humanista, pelo cessar-fogo.

Essa foi a postagem de Lula um mês após o maior ataque terrorista do Hamas. Como sabemos, sempre que alguém coloca um "mas", o que importa realmente é só o que vem depois. Lula "condena" o "erro" do Hamas, um erro de cálculo político, talvez, *mas...* o que ele condena de fato é a reação de Israel. Para Lula, Israel está matando deliberadamente crianças palestinas e destruindo "tudo que foi construído com muita luta".

Lula finge não saber que o Hamas é um grupo terrorista que controla Gaza desde 2006, e que usa escolas e hospitais como escudos para suas operações terroristas. Agora que Israel tem avançado em Gaza, soldados têm exposto essa realidade e é preciso fechar deliberadamente os olhos para não enxergá-la.

O Hamas desvia recursos humanitários para preparar seus foguetes e matar o máximo possível de judeus, seu intuito declarado. O Hamas não se importa com as crianças palestinas, que usa como escudo humano. O Hamas impede a população de sair dos locais que serão alvejados, enquanto Israel avisa antes para dar tempo de civis evacuarem.

Cerca de 1,5 mil israelenses inocentes foram brutalmente mortos pelos terroristas do Hamas. Jovens em festa eletrônica, crianças em kibutzes, idosos: todos foram indiscriminadamente assassinados, torturados. Pedir o "cessar-fogo" agora é assumir o lado do Hamas, impedir Israel de se defender. É postura nazista, que fique claro. E Lula insistiu no discurso canalha:

> Quanto dinheiro é jogado fora em uma guerra? Quantas vidas? Quanto uma bomba impacta a questão climática? Temos que garantir a paz e acabar com a fome no mundo, isso sim. Não acho correta a resposta de Israel ao ataque terrorista do Hamas. O ataque às crianças e mulheres inocentes se assemelha ao terrorismo. Se eu sei que está cheio de criança em um lugar, pode ter um monstro lá dentro, não se pode matar as crianças para matar o monstro. A guerra precisa acabar. A gente quer a criação do estado Palestino. A solução de dois Estados que o Brasil sempre defendeu.

Quanto dinheiro foi "jogado fora" na Segunda Guerra contra o nazismo de Hitler? Quantas crianças alemãs morreram? Lula, cínico como sempre, finge que a "solução" é criar dois Estados. Mas quem vai controlar o "Estado palestino", se o Hamas controla com terror a Faixa de Gaza, e na Cisjordânia a Autoridade Palestina paga para famílias de terroristas matarem judeus? Lula sabe que isso que pede é o fim de Israel, e parece ser esse mesmo seu desejo. Basta ver petistas como Breno Altman, muito próximo de Lula e Dirceu (1946-), clamando abertamente pela "solução".

"Qualquer morte de civis é uma tragédia. E não deveríamos ter nenhuma, porque estamos fazendo tudo o que podemos para tirá-los do perigo, enquanto o Hamas está fazendo tudo para mantê-los em perigo", disse o primeiro-ministro israelense, Benjamin Netanyahu, em uma entrevista em novembro de 2023, logo depois das falas desastrosas de Lula.

O premiê afirmou que Tel Aviv tem lançado panfletos no território palestino alertando a civis para que deixem a área e feito os mesmos alertas por telefone. "Outra coisa que posso dizer é que tentaremos concluir esse trabalho com o mínimo de vítimas civis. É isso que estamos tentando fazer: o mínimo de vítimas civis. Mas, infelizmente, não estamos tendo sucesso", afirmou.

Em dado momento da entrevista ao vivo, Netanyahu quis fazer um paralelo com algo relacionado à Alemanha, mas não teve tempo de detalhar e foi interrompido pelo entrevistador da CBS, que fez uma pergunta sobre a segurança pós-guerra em Gaza.

O militante, digo, entrevistador da CBS deveria ter permitido a analogia, pois ela é válida, e porque o entrevistado tem direito de emitir sua visão. Imaginem se, durante o avanço nazista de Hitler, a maior preocupação ocidental fosse com o número de civis alemães mortos, e não com vencer a guerra. Talvez o Terceiro Reich estivesse ainda no poder...

Cada morte de palestino tem um único culpado: o Hamas. Não dá para acreditar nas estatísticas oficiais do grupo terrorista, mas claro que muita gente morre numa guerra dessas, em local tão populoso e com o Hamas utilizando o próprio povo como escudo humano. O que nenhum "pacifista" faz é apresentar uma solução concreta: qual a alternativa? Israel "cessar-fogo" e ir embora, deixando o Hamas em "paz" para planejar novos ataques?

As Forças de Defesa de Israel (FDI) comunicaram naquele mesmo dia a identificação de membros do Hamas dentro de uma escola no norte de Gaza. Segundo anunciou o Exército, os terroristas foram localizados no interior da instituição e eliminados em confronto. Diversas armas e outros equipamentos militares foram apreendidos com eles. O mesmo já aconteceu em hospitais.

O Hamas utiliza escolas e hospitais como quartel e base terrorista. O que fazer? Repito: a turma do "cessar--fogo" nunca apresenta uma alternativa concreta, pois no fundo quer apenas demonizar Israel e proteger o Hamas. É o caso de Lula, que faz uma abjeta equivalência moral entre os dois lados, como fez na guerra da Rússia contra a Ucrânia também. Foi o tema do editorial da *Gazeta do Povo* no mesmo dia:

No fundo, Lula valida a estratégia do monstro, que, ao forçar a permanência das crianças em um local onde há um alvo militar camuflado sob uma estrutura civil, tornaria esse lugar intocável aos israelenses, que teriam de simplesmente se abster de qualquer ação.

Os "pacifistas" feito Lula, se não fossem tão hipócritas e cínicos, deveriam vir a público falar o que realmente estão defendendo: "Deixem os terroristas selvagens do Hamas em paz, eles são intocáveis e não importa que tenham estuprado meninas, mutilado idosos, torturado crianças e matado 1,5 mil civis inocentes". Não fazem isso, pois soaria menos "humanitário" do que o slogan "salvem as crianças palestinas".

Toda guerra é uma tragédia. Mas nem por isso toda guerra é inútil ou injusta. Quem, em sã consciência, defenderia o apaziguamento com Hitler depois de seu avanço contra outras nações? Israel vai se defender e vai eliminar o Hamas, a única alternativa concreta para se proteger de novos ataques. Todo humanista que chora cada vida inocente perdida deveria se revoltar com o Hamas, único responsável por essas mortes.

A Confederação Israelita do Brasil, a CONIB, publicou um alerta sobre a mensagem de Lula: "A fala de hoje do presidente Lula, equiparando as ações de Israel ao grupo terrorista Hamas, são equivocadas e perigosas. Estimulam entre seus muitos seguidores uma visão distorcida e radicalizada do conflito, no momento em que os próprios órgãos de segurança do governo brasileiro atuam com competência para prender a rede terrorista que planejava atentados contra judeus no Brasil. A comunidade judaica brasileira espera equilíbrio das nossas autoridades e uma atuação serena, que não importe ao Brasil o terrível conflito no Oriente Médio".

Judeus esquerdistas que "fizeram o L" para "salvar a democracia" têm se dado conta do erro que cometeram, ao colocar um presidente pró-Hamas no poder. É o caso de Caio Blinder, que está chocado com o antissemitismo vindo de seus aliados esquerdistas. Mas mesmo diante dessa campanha nazista dos comunistas, Caio dá um jeito de atacar... a direita. É incapaz de assumir com humildade o grande equívoco que cometeu ao votar em Lula, e gasta suas energias para atacar os conservadores que estão do lado de Israel desde o começo:

"Ao longo do dia tem ocorrido aqui um alarido de um conhecido segmento antropológico na Cracolândia digital que se mostra mais engajado em atacar o Lula do que expressar solidariedade a Israel e ao povo judeu. O horror em Gaza para essa gente é só pano de fundo para lacrar". O horror em Gaza é real, e a fala de Lula é abjeta, coloca lenha na fogueira.

Criticar com veemência a postura que o Brasil vem adotando nessa guerra é uma obrigação moral de todos que defendem não só o povo de Israel, mas a civilização ocidental toda, ameaçada por essa aliança nefasta e satânica entre comunistas e terroristas muçulmanos. Caio mostra a sua incapacidade de ter a dimensão real do fenômeno. Talvez porque, para fazer isso, teria que admitir que escolheu o monstro por razões pueris, estéticas, e preconceito ideológico. Bolsonaro sempre foi amigo de Israel, ao contrário do PT de Lula.

É assustador o grau de avanço do nazismo no mundo hoje, poucas décadas depois do Holocausto. E é pedagógico o fato de que esse nazismo não vem sendo encampado por "supremacistas brancos" da "extrema direita", mas, sim, pela esquerda radical, pelos comunistas. É hora de acordar para essa verdadeira ameaça aos valores ocidentais.

Lula e o PT estão dobrando a aposta contra Israel, logo depois do país sofrer seu maior atentado terrorista da história. Mas nada de novo aqui para quem está atento. Era a volta do anão diplomático.

O Brasil, em 2014, retirou seu embaixador em Israel para consultas em protesto contra a operação das IDF na Faixa de Gaza. Uma declaração emitida em nota pelo Ministério das Relações Exteriores brasileiro disse que o Brasil considera a "escalada de violência entre Israel e Palestina" como inaceitável. "Nós condenamos fortemente o uso desproporcionado da força por parte de Israel na Faixa de Gaza".

O Ministério das Relações Exteriores de Israel imediatamente reagiu ao ato brasileiro. "Esta é uma demonstração lamentável porque o Brasil, um gigante econômico e cultural, continua a ser um 'anão diplomático'", disse o porta-voz do Ministério do Exterior, Yigal Palmor. E acrescentou: "O relativismo moral por trás deste movimento faz do Brasil um parceiro diplomático irrelevante, aquele que cria problemas em vez de contribuir para soluções".

O ministério israelense estava certo. O Brasil, sob o comando do PT, virou mesmo um "anão diplomático". O Itamaraty virou um braço ideológico do partido, sempre do lado errado nas disputas internacionais. Os exemplos são infindáveis e preencheriam um livro todo (que, aliás, deveria ser escrito por algum diplomata corajoso). Os barbudinhos do PT seguem as instruções do Foro de São Paulo[7], colocando os interesses comunistas acima dos nacionais.

Quando o avião comercial da Malásia caiu com quase trezentas pessoas na fronteira da Ucrânia, a então presidente Dilma (1947-) logo repetiu a tese esdrúxula de que o alvo poderia ser o próprio Putin, sendo que a comunidade internacional levantava sérias suspeitas de que o líder russo era justamente quem estava por trás do ataque, treinando e armando os separatistas ucranianos na região. Essa foi apenas uma bola fora. A lista é longa.

O governo brasileiro se aproximou na era petista do que há de pior na geopolítica mundial. Virou aliado de ditadores africanos, de líderes islâmicos extremistas, ofereceu apoio incondicional ao regime cubano assassino, tomou o partido de Chávez e depois Maduro (1962-) na Venezuela, apoiou e abrigou Manuel Zelaya (1952-) em nossa embaixada em Honduras, deposto constitucionalmente em seu país, intrometeu-se em questões internas do Paraguai, agindo contra o congresso do país, protagonizou o vergonhoso episódio com Roger Molina, que foi mantido prisioneiro em nossa embaixada na Bolívia por mais de um ano, etc.

---

7 O Foro de São Paulo (FSP) é uma organização que reúne partidos políticos e organizações de esquerda, criada em 1990, a partir de um seminário internacional promovido pelo Partido dos Trabalhadores (PT), do Brasil, que convidou outros partidos e organizações da América Latina e do Caribe para promover alternativas às políticas dominantes na região durante a década de 1990, chamadas de "neoliberais", e para promover a integração latino-americana no âmbito econômico, político e cultural. (N. R.)

Como eu disse, a lista não teria fim, mas o leitor já entendeu o ponto. O governo petista, quando se trata de política externa, é tão incompetente e ideológico como nas questões internas. O estrago tem sido enorme. Ninguém sério nos leva mais a sério. O Brasil virou piada de salão, um país que emite opinião apenas para defender a escória internacional. Um pária internacional, ironicamente aquilo que os militantes disfarçados de jornalistas acusavam Bolsonaro de ter feito com nosso país.

A nota emitida sobre o conflito em Gaza à época do merecido apelido de "anão diplomático" não menciona uma única vez os mísseis lançados pelos terroristas do Hamas. O tom é totalmente contra Israel, como se fosse um país invasor e colonizador, sem motivo algum para entrar em Gaza e perseguir os membros do Hamas. Como fica claro, nada de novo sob o sol tropical.

O nosso governo condena o "uso de força desproporcional", mas não tem opinião sobre a "moral desproporcional" entre um governo que tenta defender o próprio povo e um grupo terrorista que usa o seu, incluindo crianças, como escudo humano. Ironicamente, a nota contra Israel vinha em um momento em que os próprios países árabes da região, especialmente o governo do Egito, estavam mais silenciosos e tolerantes com os avanços israelenses, pois repudiam as práticas do Hamas e sua aliança com a Irmandade Muçulmana. O Brasil lulista – pasme – está mais perto dos aiatolás xiitas do que quase todos os países árabes muçulmanos.

Ninguém pode ficar feliz com a tragédia humanitária dos palestinos. Mas somente alguém muito parcial apontaria o dedo apenas para Israel, ou principalmente para Israel, sem levar em conta o que faz o Hamas. Essa foi a postura do governo Dilma. Essa é a postura do novo governo Lula. Um "anão diplomático", sem dúvida.

Quando Dilma fez suas trapalhadas contra Israel, e o Brasil ganhou o apelido de "anão diplomático", circulou pelas redes sociais uma carta assinada por Rita Cohen Wolf, que reproduzo aqui, com algumas pequenas edições apenas na forma, pois o conteúdo é importante:

> Sra. Presidente Dilma Roussef.
>
> Na minha carteira de identidade de número [...] expedida pelo Instituto Felix Pacheco no Rio de Janeiro, no item "nacionalidade" está escrito "brasileira".
>
> Sim, sou brasileira e "carioca da gema". Filha de pais brasileiros e mãe de filhas brasileiras. Gosto de empadinha de palmito, água de coco, feijão e farofa. Ouço Marisa Monte, Cartola, Caetano e Cazuza. Visto a camisa seja qual for o placar e posso mesmo declarar que tenho sangue verde e amarelo.
>
> Sou dos "anos rebeldes", aqueles em que muitas vezes o máximo da rebeldia era cantar "afasta de mim esse cálice", enquanto ficávamos de olho se algum colega de escola "era sumido". Aqueles anos em que Chico Buarque só podia ser Julinho da Adelaide. Saí às ruas pelas "Diretas Já" e, emocionada, vi o Gabeira e o Betinho finalmente voltarem do exílio arbitrário.
>
> Nos anos 1990, com mestrado em Psicologia e em Educação, fui honrosamente convidada a assessorar a Secretaria Municipal de Educação do Rio de Janeiro. Cheia de entusiasmo, fazia parte de uma

equipe profissional de primeira linha. À nossa frente, uma secretária de Educação indicada pelo prefeito não por suas ligações políticas, mas por sua competência profissional e comprometimento por uma escola de qualidade para as nossas crianças.

E foi aí que comecei a perceber que algo de muito errado acontecia na minha cidade e no meu país. Mesmo ocupando um cargo de onde poderia "fazer acontecer", percebi que apenas vontade política, profissionalismo e amor pelas crianças do Rio de Janeiro não eram suficientes para mudar a antiga engrenagem: emperrada, viciada, corrompida e perversa.

Foi depois de ter sido assaltada oito vezes, uma delas com um revólver apontado para a minha cabeça [...], foi aí que a ficha caiu e percebi que não poderia mais criar minhas filhas no meio da corrupção, suborno, mão armada e com medo da própria sombra. Tinha que me despedir do meu país.

Com muita dor no coração eu resolvi fazer as malas. Por livre escolha, assim como tantos e tantos brasileiros. Meu país não podia me oferecer condições dignas de vida. Não se preocupava ou não agia com eficiência em nome do bem-estar de seus cidadãos. Fiz minhas malas e vim para o Oriente Médio.

Apesar de na minha carteira de identidade não constar o item "religião", eu posso lhe contar. Sou judia.

"Judeu", palavra que para muitos está diretamente associada a Judas, o traidor de Jesus Cristo (ele mesmo judeu) e também a Freud (1856-1939), Einstein, Bill Gates (1955-) e Mark Zuckerberg (1984-) e mais vários vencedores de Prêmio Nobel.

Optei por viver em Israel. Tornei-me israelense. Quanta contradição, sair do Brasil por medo de assaltos e sequestros e vir para Israel...

Aqui, Sra. Presidente, quando estamos em perigo, soam sirenes para que entremos em abrigos antibombas. Nunca mais estive a ponto de ser pega por uma bala perdida, assim como nunca mais tive que sentir a dor no peito ao ver famílias inteiras à beira da rua mendigando. Nunca mais tive que me pegar na dúvida do que sentir diante de um pivete: medo ou pena. Porque aqui não existem pivetes. A educação e a saúde são um direito de fato de todos os cidadãos, independentemente de cor, raça ou credo.

Sou uma dos cerca de 10 mil brasileiros que vivem hoje em Israel e que, hoje de manhã ao acordarem, deram-se conta de que o governo brasileiro chamou o embaixador em Israel para uma "consulta em protesto pela operação do exército de Israel na Faixa de Gaza". Pergunto-me se também foi chamado o embaixador na Síria, onde na última semana morreram mais de setecentas pessoas. Ou talvez o embaixador no Iraque, onde está sendo feita uma "purificação étnica". O próximo passo já bate na porta: cortar as relações diplomáticas do Brasil com Israel.

Escrevo para lhe contar, Sra. Presidente, que tenho vergonha. Num momento tão delicado para tantos de nós brasileiros que vivemos em Israel, no momento em que Israel recebe a visita e o franco apoio da primeira-ministra da Alemanha, do ministro do Exterior da Inglaterra, do ministro do Exterior dos Estados Unidos e da ministra do Exterior da Itália [...], um dia depois que o Secretário-Geral da ONU visita Israel e declara que o país tem todo o direito de se defender e a seus cidadãos do ataque de um grupo terrorista [...]; depois disso, recebemos a notícia da chamada do embaixador brasileiro.

A televisão anuncia a decisão brasileira e tenho vergonha. A vergonha não é só pelo alinhamento do Brasil com os países islâmicos extremistas em vez de se alinhar com a Democracia. Tenho vergonha também dos meios de comunicação tendenciosos do Brasil, que só enxergam ou só querem enxergar um lado da história. Mas isso já é outra conversa [...].

Hoje, junto com a notícia da chamada do embaixador brasileiro, vi também na televisão que o governo de Israel está enviando vários aviões para os quatro cantos do planeta para resgatarem israelenses que, por conta do embargo aéreo temporário das companhias de aviação estrangeiras, não conseguem voltar para Israel. Uma verdadeira operação de resgate. Por quê? Porque aqui a vida do cidadão tem valor.

Eu vivo num país em que a vida de um soldado foi trocada pela de mil terroristas presos por crime de sangue. Na minha ingenuidade, cheguei a pensar que o Brasil tentaria verificar a situação de seus cidadãos em Israel nesse momento de guerra, se é que algum cidadão brasileiro estaria com alguma necessidade que pudesse ser atendida pela representação do Brasil em Israel. Que bobinha [...].

Mais fácil talvez seja mesmo vir a cortar as relações diplomáticas, pois não sei mais qual o valor do meu passaporte brasileiro. Vergonha e desgosto por comprovar que mesmo depois de tantos anos, o brasileiro ainda vale muito pouco, para não dizer quase nada, para o seu próprio país. E o verde-amarelo do meu sangue cada vez mais vai perdendo sua cor.

São palavras carregadas de sentimento, e não é para menos. Quando a esquerda brasileira insinua que os próprios judeus podem ser responsáveis pelo novo Holocausto, desta vez contra o povo palestino, isso é revoltante de uma forma que palavras não dão conta de expressar. E é justamente o que costuma fazer o PT, insinuando ou acusando diretamente Israel de fazer com seus adversários aquilo que os nazistas fizeram com os judeus. Israel genocida? Um Estado assassino, promovendo a chacina deliberada de pobres palestinos?

> Viajamos até aqui nos vagões chumbados; vimos partir rumo ao nada nossas mulheres e nossas crianças; nós, feito escravos, marchamos cem vezes, ida e volta, para a nossa fadiga, apagados na alma antes que pela morte anônima. Não voltaremos. Ninguém deve sair daqui; poderia levar ao mundo, junto com a marca gravada na carne, a má-nova daquilo que, em Auschwitz, o homem chegou a fazer do homem.

São palavras de Primo Levi (1919-1987) em *É Isto um Homem?*, seu clássico sobre os tempos de campos de extermínio de judeus.

As palavras importam. Devemos ter cuidado ao usá-las. Por exemplo: quando alguém chama de "escravo" um trabalhador rural que recebe salário acima do mínimo, que pode ir embora quando quiser, pois ninguém o força a permanecer ali, que jamais levou uma chibatada de um capataz qualquer, só porque um dos mais de duzentos itens da legislação trabalhista não é atendido – talvez a espessura do seu colchão – isso não parece ofensivo para com os verdadeiros escravos do passado?

Pois bem: quando acusam Israel de praticar hoje aquilo de que os próprios judeus foram vítimas nos tempos do nazismo, isso é uma grave ofensa a todas as vítimas do Holocausto e aos judeus em geral. É fruto ou de muita ignorância ou de pura má-fé, parida pelo ódio antissemita. As duas coisas são completamente diferentes; simplesmente não há como sequer colocá-las em categorias próximas.

Para começo de conversa, havia a intenção: os nazistas deliberadamente pretendiam aniquilar os judeus, apenas por serem judeus. Quem fala em genocídio ou "higienização" na Faixa de Gaza não sabe do que está falando. Os soldados israelenses jamais demonstraram qualquer desejo de eliminar palestinos apenas por serem palestinos.

Pelo contrário: há toda a evidência de que fazem o máximo possível para evitar a morte de civis inocentes, chegando inclusive a avisar com antecedência dos ataques que visam à destruição dos armamentos em posse dos terroristas do Hamas, que cavaram dezenas de túneis na região e instalaram armas perto de escolas e hospitais. Como disse o professor Jacob Dolinger em artigo publicado no *O Globo* na época das travessuras de Dilma contra Israel:

> Gostaria que nosso chanceler explicasse como ele mede "proporcionalidade" no campo bélico. Saberia ele que se Israel enviasse o mesmo número de mísseis que o Hamas lançou sobre Israel nos últimos anos, Gaza estaria totalmente destruída?
>
> Sabe ele os cuidados que Israel tomou na semana passada avisando centenas de milhares de palestinos para abandonarem suas residências, possibilitando com isso que o Hamas soubesse exatamente onde o Exército

israelense se preparava para atacar e causando assim quedas que não ocorreriam se os ataques fossem realizados de surpresa? Ou seja, Israel colocou em perigo seus soldados, sacrificando alguns deles no esforço de minorar ao máximo as vítimas civis do inimigo.

Têm Sua Excelência e a presidente que ele serve a menor noção da barbárie dos dirigentes de Hamas forçando seu povo a permanecer em casa, enviando mísseis de hospitais e de áreas residenciais, para conseguir que a reação defensiva israelense cause vítimas civis entre o povo palestino?

Aliás, conhece o ministro alguma guerra que não causou vítimas civis? E que sempre houve desproporcionalidade entre o número de vítimas das partes envolvidas no conflito?

Não compreende o chefe do Itamaraty que em Israel praticamente não caem vítimas civis porque o Estado protege seus cidadãos com o mais sofisticado sistema de alarme e refúgio?

Não está evidente aos olhos do governo brasileiro que esta, como as anteriores guerras entre Israel e Hamas, foi provocada pelos terroristas fanáticos que governam a Faixa de Gaza como déspotas medievais?

Como ignorar esses fatos? Alguém tem alguma dúvida de que se Israel realmente quisesse exterminar palestinos a esmo o país seria capaz disso amanhã? E alguém acha que o Hamas, se tivesse o mesmo poder, deixaria de utilizá-lo? Por que Israel entra em guerra sempre para se defender?

Se há alguma coisa semelhante ao nazismo na região é justamente o desejo patológico que muitos palestinos alimentam de eliminar os judeus do mapa. Não por acaso

Hitler encontrou em muitos grupos islâmicos aliados importantes para a sua "solução final": ambos, nazistas e radicais islâmicos, tinham o mesmo objetivo, que era exterminar os judeus. Estes, por sua vez, jamais demonstraram interesse algum em exterminar palestinos ou muçulmanos.

É tragicômico o fato de a esquerda radical acusar todo mundo de nazista enquanto flerta abertamente com o neonazismo do Hamas. Tudo é nazismo para os petistas, menos desejar matar aleatoriamente os judeus, todos os judeus. Defender tradições, ser conservador, valorizar a família e o patriotismo: isso basta para merecer o rótulo de nazista pela esquerda. Mas endossar o massacre do povo judeu e desejar destruir Israel, isso é tranquilo, parte da visão tolerante dos socialistas.

Claro que em uma guerra será inevitável a perda de civis inocentes. É uma droga que seja assim. É uma lástima. Muitos têm inclusive o direito legítimo de criticar e condenar o governo de Israel, julgando que a reação é inadequada e que coloca em risco vidas demais. Mas esses deveriam, ao menos, tentar oferecer alguma alternativa realista de como Israel pode se defender do terrorismo do Hamas, que lança mísseis o tempo todo em sua população, que invade para estuprar, torturar, mutilar e matar. Morreram inocentes na Alemanha de Hitler também, e nem por isso o "cessar-fogo" era desejável ou moralmente defensável.

Acusar Israel de deliberadamente almejar a morte dessas pessoas por questões étnicas é uma infâmia, uma mentira grotesca, que expõe o antissemitismo de quem a profere. Os judeus sob o nazismo foram transformados em cães desalmados, em animais sem honra e dignidade.

Quem quiser um bom relato do dia a dia dos campos de concentração, sem sensacionalismo, recomendo a leitura de *É Isto um Homem?*, do italiano Primo Levi, mencionado acima. É impossível acabar a leitura e ainda insistir em uma comparação com a Faixa de Gaza hoje, acusando Israel de praticar aquilo que sofreu antes. Esdrúxulo demais.

Israel permite inclusive que palestinos vivam e trabalhem em seu território, tentando garantir sua segurança. Israel fornece energia para Gaza. O maior inimigo dos palestinos de bem não são os israelenses, mas os palestinos terroristas, os islâmicos radicais. Como pode alguém em sã consciência e conhecedor de um mínimo de história falar que os judeus é que pretendem um Holocausto invertido hoje? Como não sentem vergonha de uma acusação tão vil dessas?

Israel aceitou várias tréguas temporárias no longo conflito com o Hamas, mas o grupo terrorista continua lançando ataques sobre israelenses sempre que possível, sem trégua. Como negociar com um grupo terrorista que não quer nada além de sua destruição completa, que não mede esforços para isso, que usa as próprias crianças como escudo? Como alguém pode ter a cara de pau de inverter tudo e acusar os judeus de desejarem o extermínio de outro povo, quando são justamente eles que não têm a permissão de simplesmente existir ali?

Que grupos radicais de esquerda, encantados com a "causa palestina" e alimentados pelo antissemitismo disfarçado de antissionismo, adotem esse discurso odioso, tudo bem; estamos acostumados e já vimos até deputados do PSOL queimando a bandeira de Israel. Mas que o próprio governo brasileiro acabe, na figura asquerosa do "chanceler de fato" Marco Aurélio Garcia (1941-2017) durante o governo Dilma, ou agora na figura tosca de Celso Amorim (1942-), autor de um prefácio de livro elogiando a "diplomacia" do Hamas, fazendo a mesma coisa, acusando Israel de genocídio deliberado, isso é abjeto. E justifica totalmente a alcunha de "anão diplomático".

Nosso governo Dilma foi elogiado por ninguém menos do que o próprio Hamas, grupo terrorista da pior espécie. O mesmo grupo terrorista que parabenizou Lula por sua vitória. Só isso deveria ser sinal de alerta, um aviso de que a postura não está adequada, que o Itamaraty petista tem errado feio o alvo. Mas o que esperar de um governo que se alinhou à escória da humanidade, que sempre afagou os piores tiranos do mundo? O Brasil sob o PT virou uma marionete do Irã, um vassalo do regime chinês, um capacho de Putin. Parabéns aos envolvidos: hoje o Brasil faz parte do "eixo do mal", e nesse time não pode faltar o ódio a Israel, o antissemitismo nefasto e o antiamericanismo patológico.

Como já ficou claro para quem chegou até aqui, esse papo de "não sou antissemita, sou antissionista" não engana mais ninguém, apesar de ser o truque ainda utilizado pela esquerda. O presidente da Confederação Israelita do Brasil, Claudio Lottenberg (1960-), escreveu um artigo na *Folha de S.Paulo* em 2014 constatando aquilo que muitos já disseram: o antissionismo é apenas uma máscara moderna para ocultar o velho antissemitismo. Diz ele:

> Cada nação deve definir sua identidade. Se judeus definem-se por uma religião (o judaísmo), uma língua (o hebraico) e uma terra (Israel), ninguém tem nada a ver com isso.

Imagine-se o escândalo se Israel mudasse de nome, para "Estado Judeu de Israel". Mas não ouvimos reclamações contra, por exemplo, o "Islâmica" em "República Islâmica do Irã" ou "Árabe" em "República Árabe do Egito".

O sionismo foi e é apenas isto: a expressão moderna da autodeterminação nacional judaica. E Israel surgiu na descolonização no pós-guerra, beneficiado pelas alianças corretas na vitória sobre o nazismo. Essa é a verdade histórica.

O único caminho para a paz é o reconhecimento das realidades históricas e a divisão em dois países por critérios demográficos. Dois Estados para dois povos.

O antigo antissemitismo saiu de moda após o mundo ter descoberto o Holocausto. Foi substituído por uma nova forma de discriminação: o antissionismo. A máscara é nova, mas a alma horrenda é velha conhecida. Uma verdadeira aberração.

De fato, o duplo padrão no julgamento que invariavelmente condena Israel é evidente. Há coisas que só Israel não pode ter ou se dar ao direito de fazer. Os que adotam tal postura seletiva podem alegar o que quiser, tentar se convencer de que são os maiores humanistas do planeta, apenas preocupados com os inocentes palestinos, mas a seletividade trai a hipocrisia e deixa transparecer o ódio ao povo judeu.

Vladimir Safatle (1973-), notório esquerdista da "intelectualidade" tupiniquim, insistia no mesmo jornal e dia em chamar o Hamas de "terrorista" apenas entre aspas. Não são terroristas, por acaso? O autor, então membro do PSOL, pensava que não, e fazia de tudo para relativizar o termo, lembrando que outros grupos já foram vistos como terroristas no passado, inclusive israelenses, e que mesmo assim foi preciso negociar com eles. Isso foi no governo Dilma, mas no terceiro governo Lula foi a mesma ladainha: um ministro petista chegou a comparar o Hamas a Nelson Mandela (1918-2013), alegando que o conceito de terrorista pode mudar com o tempo, e por isso era prudente manter o diálogo. Por acaso é possível negociar com o Hamas, que quer nada menos do que a destruição completa de Israel e dos judeus? Diálogo com quem degola bebês e estupra meninas?

Daniel Aarão Reis (1946-), em artigo publicado em *O Globo* também em 2014, afirmou que os palestinos são os "novos judeus", comparando de forma bizarra o que ocorre hoje na Faixa de Gaza ao Holocausto. Diz ele: "Gaza virou um imenso gueto. E os palestinos converteram-se em novos judeus, cuja consciência precisa ser 'queimada'". Já mostrei como tal comparação é absurda e extremamente ofensiva aos judeus.

Ambos, Safatle e Aarão Reis, são esquerdistas radicais. Ambos posam de "moderados". E ambos são apenas ícones do que a esquerda em geral tem feito em relação aos tristes acontecimentos na Faixa de Gaza faz tempo. Ataques virulentos a Israel, mascarados de críticas apenas ao estado, e não ao povo judeu como um todo. Não conseguem enganar aqueles mais atentos. O antissemitismo ainda vive. Apenas colocou nova embalagem...

Quando Reinaldo Azevedo (1961-) ainda não tinha debandado para o lado dos petralhas que denunciou em dois volumes, ele tinha clareza moral para compreender o conflito em Gaza. Nessa mesma época em que seus então adversários ideológicos mascaram o antissemitismo com o antissionismo, Reinaldo publicava na *Folha de S.Paulo* um texto explicando a estratégia podre do Hamas:

> O Hamas tem dois grandes aliados: um número maior de mortos e o ódio covarde a Israel. É um ódio dissimulado, sem coragem de dizer seu nome, que usa os corpos de mulheres e crianças como escudo moral, mas que mal esconde sua natureza. [...] Israel hesitou bastante em fazer a incursão terrestre a Gaza. Seriam muitos os mortos, dadas as características demográficas da região e a forma como o Hamas se organiza. Adicionalmente, tinha-se como certa a perda de soldados. O óbvio está se cumprindo. Há quantos anos o mundo assiste impassível à conversão de Gaza numa base de lançamento de mísseis? Quantas foram as advertências ignoradas pelo Hamas? Como reagiu a organização terrorista ao assassinato de três adolescentes judeus? Justificou a ação criminosa, aplaudiu-a e chamou o inimigo para a guerra, esgueirando-se, armada até os dentes, entre mulheres e crianças, cujo sangue fertiliza seus delírios homicidas. Há, sim, entes genocidas naquela região. E não é Israel. Um deles é o Hamas. É moral e intelectualmente delinquente ignorar o conteúdo do seu estatuto. Está lá: "Israel existirá e continuará existindo até que o Islã o faça desaparecer". Ou ainda (Artigo 13): "As iniciativas [de paz], as assim chamadas soluções pacíficas e conferências internacionais para resolver o problema palestino, se acham em contradição com os princípios do Movimento de Resistência Islâmica, pois ceder uma parte da Palestina é negligenciar parte da fé islâmica". Tudo claro. Dilma Rousseff só não lê porque Dilma Rousseff não lê.

É muito fácil identificar um antissemita, ainda que tente se disfarçar sob o manto do repúdio ao "massacre" de crianças e inocentes – como se não fosse o Hamas o responsável por tal massacre. Basta observar a seletividade de sua revolta. Basta reparar como sua baba de raiva contra "opressores" e sua "compaixão" infinita por crianças inocentes surgem apenas quando é para condenar Israel ou os Estados Unidos.

O porta-voz do Hamas foi à televisão se vangloriar de seus escudos humanos, mas ninguém emitiu uma palavra de repúdio a esta postura abjeta. Pelo contrário: alguns questionam se há mesmo o uso de crianças como escudo humano, e outros, que tentam ser menos patéticos um pouco, alegam que a culpa disso é de Israel, que teria deixado os povos "ocupados" sem alternativa (hmm, quer dizer que para a turma dos "direitos humanos" usar crianças como escudo pode ser uma opção?).

A todos aqueles que falam em "uso de força desproporcional", o que achariam se Israel lançasse milhares de foguetes a esmo em Gaza, em vez de arriscar a vida de seus soldados em operações terrestres para tentar destruir os túneis que os terroristas do Hamas usam para atacar sua população? Ficariam satisfeitos se houvesse mais mil mortos israelenses? É isso que chamariam de "proporcionalidade"?

Mas nada disso importa para a nossa turma de esquerda, hoje com Reinaldo Azevedo no ataque. E a esquerda brasileira não está sozinha nessa. O "anão diplomático" anda entre outros anões, todos ligados ao Foro de São Paulo. O comunismo se espalhou por quase toda a América Latina, e com isso fez o antissemitismo tomar conta da região. É por isso dois dos mais nefastos ditadores comunistas do continente, não por acaso companheiros de Lula, emitiram notas de repúdio a Israel. Daniel Ortega (1945-) e Maduro demonizaram Israel e saíram em defesa do Hamas. E isso não é de hoje.

Muitos intelectuais esquerdistas espalham ódio aos judeus por meio da afetação contra Israel. É o caso de um respeitado "pensador" de esquerda, Boaventura de Souza Santos (1940-), que vem publicando vários textos contra Israel. Num deles, em 2014, que a revista *Carta Capital* divulgou, o grau de judeofobia salta aos olhos. É um espanto. Vale notar que não estamos falando de um qualquer. Eis o currículo do homem:

É doutor em sociologia do direito pela Universidade de Yale, professor catedrático da Faculdade de Economia da Universidade de Coimbra, Distinguished Legal Scholar da Faculdade de Direito da Universidade de Wisconsin--Madison e Global Legal Scholar da Universidade de Warwick. É também diretor do Centro de Estudos Sociais e Coordenador Científico do Observatório Permanente da Justiça Portuguesa – ambos da Universidade de Coimbra. Foi fundador e diretor do Centro de Documentação 25 de abril entre 1985 e 2011.

Portanto, o sujeito tem as credenciais acadêmicas, bem ao gosto da esquerda que adora apelar à autoridade em vez de focar nos argumentos. Como faço justamente o contrário, vamos aos argumentos, ou ao que parecem seus argumentos. Ele começa logo fazendo uma pergunta absurda e dando uma resposta ainda mais absurda:

> Podem simples cidadãos de todo o mundo organizar-se para propor em todas as instâncias de jurisdição

universal possíveis uma ação popular contra o Estado de Israel no sentido de ser declarada a sua extinção, enquanto Estado judaico, não apenas por ao longo da sua existência ter cometido reiteradamente crimes contra a humanidade, mas sobretudo por a sua própria constituição, enquanto Estado judaico, constituir um crime contra a humanidade? Podem.

Ou seja, para Boaventura, Israel não tem o direito de existir, pois é um "crime contra a humanidade". Vários países foram criados por decisões arbitrárias e nem por isso são alvos do ódio da esquerda. Mas Israel é criminoso em si, e não tem direito de existir. Para o doutor, Israel roubou as terras dos palestinos, o que é simplesmente falso. Muitas foram compradas, os judeus já vivem ali há séculos, não havia nada como um povo ou uma nação Palestina ali antes, e o avanço territorial se deu como reação aos ataques que Israel sofreu de seus inimigos, que desejavam, como Boaventura, sua destruição.

Mas Boaventura enxerga apenas "colonização". Ora, Portugal colonizou de fato o Brasil. Vamos abolir o Estado brasileiro então, para "libertar" o povo indígena? A esquerda quer defender isso? Tantos países são ex-colônias, mas não vemos ninguém pedindo sua abolição por aí. A esquerda quer abolir a Austrália? Um peso, duas medidas, deixando claro que o alvo é apenas Israel, e que isso não tem nada a ver com colonização, retórica enganosa que serve apenas para alimentar o ódio contra os judeus.

Diz o sociólogo, citando outro escritor socialista: "O controverso comentário de José Saramago de há alguns anos de que o espírito de Auschwitz se reproduz em Israel faz hoje mais [sentido] do que nunca". Acusar os judeus de Israel de praticarem genocídio como o de que foram vítimas é algo não apenas ridículo, mas extremamente ofensivo.

Se Israel quisesse "exterminar" os palestinos, teria condições de fazer isso amanhã. Ao contrário: faz de tudo para preservar as vidas inocentes, mesmo que sacrificando seus próprios soldados nesta missão. Enquanto os terroristas do Hamas, que não são sequer mencionados pelo sociólogo português, usam os próprios palestinos como escudo humano, os soldados israelenses tentam mitigar o número de perdas civis em seus ataques. Não acredito que o autor seja ignorante, o que me leva a deduzir que se trata de falta de caráter mesmo, de uma patologia antissemita que leva a tal estupidez. Ele conclui:

> A criação do Estado judaico de Israel configura um crime continuado cujos abismos mais desumanos se revelam nos dias de hoje. Declarada a sua extinção, os cidadãos do mundo propõem a criação na Palestina de um Estado secular, plurinacional e intercultural, onde judeus e palestinos possam viver pacífica e dignamente. A dignidade do mundo está hoje hipotecada à dignidade da convivência entre palestinos e judeus.

Se foi algum tipo de piada, confesso não ter achado muita graça. Talvez Gregório Duvivier (1986-) possa me ajudar na interpretação do humor negro do socialista, ou pedir para algum camarada do PSOL, que também goste de queimar bandeiras de Israel em praça pública, explique como seria isso na prática.

Israel seria extinto como país, haveria um Estado da Palestina secular, laico (risos), plurinacional e intercultural, e judeus e palestinos viveriam em paz para sempre, com dignidade. A eleição colocaria o Hamas no poder, como já ocorre hoje na Faixa de Gaza. Mas isso é um detalhe bobo. Outro detalhe insignificante é o fato de que o próprio estatuto do Hamas prega a destruição de Israel e dos judeus. Mas não devemos nos ater aos aspectos pontuais.

Cabe, ainda, indagar se os "bem-pensantes" da esquerda acham que só Israel deve ser abolido por "crimes contra a humanidade", ou se Cuba, China e Coreia do Norte fariam parte da lista também. O duplo padrão de julgamento moral dessa turma deixa transparecer toda a hipocrisia de sua afetação seletiva em defesa dos "direitos humanos".

Pergunto-me: como pode alguém que defende algo tão abjeto ser idolatrado pela esquerda? Isso não diz muito sobre os próprios valores – ou a falta deles – morais dessa gente? O que estão defendendo, aberta e escancaradamente, com divulgação indecente ou mesmo criminosa da revista de Mino Carta, é o extermínio de milhões de judeus inocentes. É de embrulhar o estômago mesmo. E serve para demonstrar que títulos acadêmicos não garantem nada, pois uma vez canalha, sempre canalha...

Em tempo: já há um lugar onde judeus e não judeus árabes convivem em paz, e esse lugar é... Israel. É justamente sob a democracia israelense que há tal convívio pacífico, garantido pelo Estado de Direito e o império da lei. Fora dali, o domínio fica com os terroristas islâmicos que desejam exterminar os judeus e a paz, o que Boaventura parece aplaudir de pé.

O embaixador de Israel no Brasil em 2014, Reda Mansour (1959-), que foi o primeiro diplomata não judeu no país, atestou numa entrevista a *O Globo* na época: lá há várias etnias convivendo pacificamente em ambiente democrático. Nada de novo para quem conhece minimamente os fatos, mas talvez um choque para quem apenas repete os chavões que escuta da esquerda radical e antissemita. Diz ele: "Como o Brasil, Israel tem uma população multiétnica e multicultural. Quase 1,5 milhão de árabes são cidadãos. Há drusos, cristãos, africanos. Temos imigrantes de 70 países do mundo". Fatos. Apenas fatos, sempre ignorados pela esquerda antissemita.

Mas calma, que nem tudo está perdido. O Mercosul emitiu uma nota de repúdio ao Hamas, exigindo o imediato cessar dos ataques com mísseis aos civis israelenses e definiu como inadmissível o uso de crianças e inocentes palestinos como escudo humano. Na nota, o Mercosul apoia as sanções dos Estados Unidos e Europa à Rússia após novas evidências que mostram a conivência e o suporte do país aos separatistas ucranianos, que derrubaram um avião da Malásia com quase trezentas pessoas a bordo.

Ainda na mesma nota, os países do Mercosul decidiram condenar em bloco a ditadura cubana, atestando que é nefasto um regime que mantém como escrava a própria população por meio século, e que fuzilou milhares de presos políticos apenas pelo "crime" de opinião. Por fim, o Mercosul decidiu expulsar a Venezuela do bloco, reconhecendo que fora um grande equívoco aceitar o país que não cumpria as cláusulas democráticas.

Agora o leitor já pode acordar, deixar o sonho de lado, e mergulhar no pesadelo da realidade. Nada disso é verdade, claro. O Mercosul emitiu nota, sim, mas condenando apenas Israel e pedindo investigação de violação de direitos humanos somente para o pequeno país democrático do Oriente Médio.

Esses incríveis "humanitários" condenaram o "massacre" de Israel, e não citaram uma única palavra de condenação ou crítica ao Hamas, grupo terrorista que usa a própria população como escudo humano. É como se Sarney (1930-), Maluf (1931-) e Lula emitissem uma nota cobrando ética na política. Uma piada. Quando "anões diplomáticos" como esses representam a América Latina, tudo que podemos fazer é sentir uma imensa vergonha, e deixar bem claro aos israelenses que essa gente não nos representa de fato.

Em artigo publicado na *Folha de S.Paulo* em 2015, o então cônsul-geral de Israel em São Paulo, Yoel Barnea (1950-), comentou sobre os debates acerca do antissemitismo, que pode ter se adaptado aos tempos modernos, mas não desapareceu. Pelo contrário: continua firme e forte, agora escondido sob o manto dos ataques a Israel. E, pelo incrível que pareça, boa parte desse antissemitismo vem dos "progressistas", como reconhece o cônsul:

> O antissemitismo de hoje não se limita a setores do Islã militante nem a alguns elementos xenofóbicos marginais da sociedade europeia. Ele está mascarado no chamado pensamento progressista do Ocidente. Alguns que se consideram campeões da tolerância transformam-se em intolerantes natos quando se trata de judeus e o Estado judeu. O antissemitismo clássico representava os judeus como a personificação do mal. O antissemita moderno retrata o Estado judeu

como a personificação do mal. Esse Estado é tratado hoje no âmbito internacional da mesma maneira que os judeus foram tratados pelas nações ao longo de muitas gerações. E, é claro, não somos perfeitos e há muito que pode e deve ser melhorado no Estado de Israel. Mas construímos uma sociedade magnífica, que contribui à comunidade internacional com seus logros e experiências. Como é possível que Israel seja caluniado e difamado como nenhum outro país o foi? Provavelmente porque entre os judeus hábitos, costumes e vícios morrem com muita dificuldade.

Acho que o cônsul-geral está certo. Os judeus, historicamente falando, demonstram maior resistência ao relativismo moral, que tomou conta dos tempos modernos. Por isso, apresentam, na média, costumes mais enraizados, e isso pode colocá-los em confronto com as autoridades estabelecidas ou o *Zeitgeist*, que nunca foi tão maleável e afeito a modismos.

Explicar o antissemitismo, ou a judeofobia, não é tarefa fácil. Afinal, vem de longa data e quase sempre existiu, em diferentes épocas e lugares. O mais espantoso, porém, é que Israel é difamado e atacado mais por suas virtudes que seus vícios hoje. Claro que o país merece críticas. Não há perfeição neste mundo. Mas a forma com a qual atacam Israel, e o evidente duplo padrão moral de seus ácidos críticos, mostram que há algo para muito além da legítima crítica construtiva.

O mais importante de se ter em mente, no caso dos ocidentais não judeus, é que essa postura tem profundos impactos sobre todos nós. É o que coloca Yoel Barnea:

Uma das principais mensagens que o Fórum Global de Combate ao Antissemitismo espera transmitir é que essa forma de ódio não é um problema apenas para o povo judeu. Onde quer que o antissemitismo seja permitido, as violações à liberdade de expressão e dos direitos básicos de outras minorias – das mulheres, dos ciganos, de minorias étnicas e da comunidade LGBT – seguirão ocorrendo.

No final, até mesmo o direito de viver livre do medo, da intolerância na direção de qualquer um com uma opinião diferente, aparência ou crença, será colocado em dúvida. Quando a judeofobia aumenta nessa velocidade que vemos hoje, isso é alarmante para todos, não apenas para os judeus (o que já deveria nos revoltar, por empatia e senso de justiça).

Após os ataques do Hamas em outubro de 2023 e a reação latino-americana, o presidente de Israel, Isaac Herzog (1960-), pediu "decência e respeito" aos países latino-americanos que criticaram a ofensiva israelense na Faixa de Gaza, e insistiu para que dialoguem com o Irã e pressionem pela libertação dos reféns mantidos pelo grupo terrorista palestino Hamas.

"Acho que os líderes de Venezuela, Colômbia, Bolívia, Chile e outros que nos criticaram deveriam mostrar alguma decência e respeito e levar a reivindicação dos reféns aos líderes mundiais, pressionando o Irã e seus aliados, incluindo o Hamas", declarou Herzog na residência presidencial em Jerusalém.

O presidente enviou uma mensagem a "todos os países de língua espanhola, alguns com fortes laços com o Irã e todos os seus aliados", para que expressem sua indignação com o massacre do Hamas em Israel no dia 7 de outubro e peçam a Teerã que interceda pela libertação dos 239 reféns mantidos em Gaza. "É uma questão humana, não uma questão política", enfatizou Herzog.

Ele afirmou que disse a muitos líderes de países latino-americanos que "eles deveriam se olhar no espelho e entender que podem ser os próximos". "Sabemos da presença do Irã na região, na América Latina, sabemos de suas alianças com alguns países. Infelizmente, ninguém estará isento da máquina de terror dessas organizações. Todos nós devemos lutar juntos", acrescentou.

O combate ao antissemitismo, portanto, deve ser uma luta de todos. De todos aqueles que se revoltam contra as injustiças. De todos aqueles que admiram a pluralidade verdadeira, não aquela falsa dos discursos "progressistas" eivados de ódio e intolerância. De todos aqueles que reconhecem em Israel uma democracia próspera que legou ao mundo inúmeras conquistas, especialmente nas áreas de tecnologia e medicina. De todos aqueles, enfim, que prezam a liberdade.

Mas a esquerda radical parece mesmo incapaz de reconhecer isso tudo. Até mesmo diante do altruísmo israelense. Israel, num ato de pura generosidade, ofereceu ajuda para as buscas em Brumadinho, enviando mais de uma centena de militares e vários equipamentos após o trágico acidente. Qual foi a reação de parte da nossa mídia diante desse gesto nobre? O desprezo, claro.

Falaram que os equipamentos não serviam para nada, o que foi negado pelo responsável pelas operações de busca. Os equipamentos são úteis, sim, como seria de esperar vindo de um dos países mais inovadores em tecnologia do mundo. Tentaram dar um jeito de diminuir a nobreza da ajuda humanitária espalhando boatos de que teriam recebido dinheiro por isso, o que se mostrou falso. É pura patologia.

Esse ódio irracional dos esquerdistas a Israel é algo deprimente, e vem mascarado como objeção às políticas do atual governo ou mesmo do estado, mas no fundo trai o forte preconceito ao povo judeu e sua associação com o modelo capitalista. É fruto da mais mesquinha das paixões: a inveja.

Mas, para desespero dos odientos, Israel segue fazendo aquilo que é certo. Protege sua população, cria um ambiente de inovação que contribui bastante para o progresso da humanidade, e oferece ajuda voluntária para diversos países. Os cães ladram, a caravana judaica passa...

O TERROR NO BRASIL

Claro que esse flerte todo da esquerda com o terrorismo acabaria transformando o Brasil num celeiro para radicais islâmicos. Documentos até então sigilosos revelaram em fevereiro de 2017 que o Hezbollah enviou terroristas ao Distrito Federal com o intuito de cometer ataques contra representantes diplomáticos de Israel. Alguns foram identificados, inclusive com fotos. A primeira vez foi em 1976. A segunda em 1989. A intenção era sequestrar representantes do governo de Israel residentes no Distrito Federal.

As informações sobre os possíveis atentados ficaram restritas aos militares e às autoridades do primeiro escalão dos governos do Brasil e de Israel. Elas estão em um dos dossiês confidenciais da Secretaria de Segurança Pública, abertos agora à consulta no Arquivo Público do Distrito Federal.

Sobre o possível ataque de 1976, as informações são vagas. Tratam somente de um alerta enviado pelo governo de Israel a todas as suas representações diplomáticas e do reforço da segurança das Forças Armadas do Brasil à embaixada de Israel em Brasília.

Quanto ao plano de 1989, há um amplo e detalhado relatório, incluindo nomes e fotografias de suspeitos e telegramas originais trocados entre Israel e Brasil. Telegrama enviado pelo Ministério das Relações Exteriores do Brasil à Polícia Federal e ao secretário de Segurança Pública do DF, em 16 de agosto de 1989, alerta que um terrorista do Hezbollah está "em vias de ingressar no país (o Brasil) com vistas a cometer atentado contra aquela missão diplomática e seus membros". Na mesma mensagem, o Itamaraty alerta sobre a presença de "outro terrorista" em solo brasileiro. Diante de tal cenário, o ministério pede reforço "urgente" na segurança em volta da Embaixada de Israel e das residências do embaixador e de quatro diplomatas israelenses.

A caça aos suspeitos e o esquema de segurança envolvendo a embaixada israelense e seus altos funcionários durou mais um mês, quando o serviço de inteligência israelense descobriu que os terroristas tinham deixado o Brasil para um destino desconhecido.

O Brasil parece ter entrado mesmo na rota do radicalismo islâmico, com os aplausos da elite alienada. Não bastasse um palestino simpático a terroristas ter um restaurante *cool* em São Paulo e receber elogio pela "diversidade cultural" e até prêmio de jornal depois de participar do primeiro atentado terrorista islâmico no país, agora é a vez de um aiatolá xiita iraniano, amigo do Hezbollah, visitar a cidade para uma palestra, como noticiou a revista *Veja* em 2017:

> O iraquiano Mohsen Araki (1956-) é uma estrela do Islã xiita. Dono do título de aiatolá, ele faz parte do círculo mais próximo líder supremo do Irã, o aiatolá Ali Khamenei, de quem é amigo desde a juventude. Araki desembarcará no Brasil na próxima semana para pregar em mesquitas e instituições patrocinadas pelo governo do Irã no Brasil. No sábado dia 29, ele

proferirá uma palestra no evento "Os muçulmanos e o enfrentamento ao terrorismo radical", que será em São Paulo, no Novotel Center Norte. Uma ironia por Araki ser conhecido justamente por pregar a violência contra o que ele define como inimigos do Islã.

Quando o ex-presidente Mahmoud Ahmadinejad pregou a destruição de Israel, ele estava apenas reproduzindo os discursos de Araki. Em várias oportunidades, o religioso pregou a destruição do Estado Israel. Durante um encontro com o secretário-geral do Hezbollah, Hassan Nasrallah (1960-), o aiatolá Araki definiu Israel como "um câncer que deveria ser extirpado do Oriente Médio".

Em suas pregações, Araki acusa os Estados Unidos e os judeus de serem os responsáveis pelos problemas econômicos dos países islâmicos e das divisões existentes entre as várias correntes da religião islâmica. Em uma visita ao Líbano, ele sugeriu aos líderes do Hamas, o grupo terrorista que controla a Faixa de Gaza, uma união estratégica entre todos as organizações terroristas que atuam no Líbano e Palestina como forma de "banir Israel do mapa", conforme publicado pela imprensa oficial iraniana.

O sheik Nasrallah – líder do Hezbollah e amigo do "convidado" – disse que é melhor os judeus se mudarem todos para Israel, pois lhe seria poupado o trabalho de caçá-los mundo afora. Eis o nível de gente que o Brasil está recebendo para palestras sobre o enfrentamento ao terrorismo radical, ou seja, os próprios terroristas radicais.

É algo como convidar Lula para falar de combate à corrupção, Gregório Duvivier para palestrar sobre honestidade intelectual ou Jean Wyllys (1974-) para discursar sobre a importância da virilidade masculina. É uma piada pronta, um escárnio total. E essa gente está entrando no Brasil, colocando seu pezinho terrorista aqui, fixando as bases da disseminação do ódio e do extremismo que fomentam o terror.

Tudo isso, repito, com os aplausos das focas "progressistas", que enaltecem o multiculturalismo e acham que defender os terroristas palestinos contra Israel é ser descolado e protetor de fracos e oprimidos. Mas claro: quem dissemina o ódio e o preconceito é sempre a direita, nunca a esquerda...

Não custa lembrar que a aliança entre comunistas e terroristas não é novidade. Cuba, que também virou *hub* do tráfico internacional de drogas, foi o refúgio do famoso terrorista Chacal (1949-). Carlos, seu verdadeiro nome, estudou numa escola de Caracas e juntou-se ao movimento da juventude comunista em 1959. Em 1973, com 24 anos, ingressou na Frente Popular para a Libertação da Palestina (FPLP), e tentou assassinar em Londres o empresário Joseph Shieff (1888-1954), presidente da Marks & Spencer e vice-presidente da Federação Sionista do Reino Unido e Irlanda, mas fracassou.

Em 1975, executou o sequestro que lhe deu fama mundialmente: reteve onze ministros de países-membros da OPEP, que estavam reunidos em Viena, Áustria. O incidente acabou com a morte de três pessoas e a sua fuga. Entre os aliados de Chacal estavam os regimes líbio de Muammar al-Gaddafi (1942-2011), iraquiano de Saddam Hussein (1937-2006), sírio de Hafez al-Assad (1930-2000), cubano de Fidel Castro, e ainda vários países comunistas do Leste Europeu, as Brigadas Vermelhas da Itália e o movimento M19 da Colômbia.

Como fica claro, o elo entre comunistas e terroristas muçulmanos não é de agora, e Lula, fundador do Foro de São Paulo ao lado de Fidel Castro, ditador comunista por ele idolatrado, parece disposto a colocar o Brasil nesse "eixo do mal" de vez. Os nossos antigos aliados do Ocidente estão de olho, e preocupados. Alguns judeus tucanos que "fizeram o L" para "salvar a democracia" já demonstram arrependimento. Qualquer pessoa minimamente sensata e atenta deveria estar com medo mesmo.

O PT tem "diálogos cabulosos" com o PCC, simpatiza com os narcoguerrilheiros das FARC, e agora assume a postura de mediador entre Hamas e Israel, como se fosse desejável qualquer outro destino que não o extermínio do grupo terrorista palestino. Enquanto isso, figuras ligadas ao PT condenam abertamente Israel, o "Estado assassino". Não vamos esquecer que nossa vizinha Argentina já sofreu atentados terroristas como o ataque contra prédio da Associação Mutual Israelita Argentina (AMIA). Ele ocorreu em Buenos Aires em 1994, matando 85 pessoas e ferindo centenas. Foi o atentado mais mortal na Argentina.

Em 25 de outubro de 2006, os procuradores argentinos Alberto Nisman (1963-2015) e Marcelo Martínez Burgos acusaram formalmente o governo do Irã de planejar o bombardeio e a milícia do Hezbollah de realizá-lo. Em 19 de janeiro de 2015, Nisman foi encontrado morto em sua casa. Alguns chegaram a suspeitar da participação de Kirchner (1953-) no suposto assassinato.

Diante desses fatos e lembranças, cabe voltar ao começo e perguntar: alguém fica surpreso ainda com esquerda e terrorismo muçulmano unidos?

UMA PEQUENA GRANDE NAÇÃO

Parte do conteúdo deste livro foi resgatado de meus escritos de 2014, por dois motivos: o conflito entre Hamas e Israel, que escalou neste ano por conta de ataques terroristas dos palestinos; e minha visita a Israel. A convite da ONG The Face of Israel, que visa atrair jornalistas e formadores de opinião ao país para conhecê-lo melhor e para além das fontes tradicionais da imprensa, muitas vezes enviesadas, passei cinco dias rodando algo como mil quilômetros e visitando cada canto de Israel, conversando com muita gente diferente, vendo *in loco* como é a vida nesse caldeirão de culturas, religiões e povos. Dos quase 10 milhões de habitantes, algo como 75% são judeus, sendo pouco mais de 10% ultraortodoxos, e há também muitos árabes, alguns cristãos e uma minoria de drusos.

Ao contrário de muitos que alimentam um viés contra Israel, já cheguei lá com o respeito e admiração que tenho pelo que os judeus, com o auxílio de outras minorias, foram capazes de erguer em meio a um terreno hostil (menos de 15% da terra é arável), com boa parte desértica, e vizinhos ainda mais hostis do que a própria natureza. Admito que saí de lá com uma impressão ainda melhor. Israel é algo impressionante mesmo.

Para começo de conversa, podemos transitar entre o que há de mais moderno do século XXI, na cosmopolita Tel Aviv, uma das cidades mais amigáveis aos gays no mundo, por exemplo, e algo como quase 3 mil anos de história, tudo isso em poucos quilômetros de distância, ou até metros. Jaffa, cidade portuária das mais antigas do mundo, incorporada a Israel na década de 1950, remete-nos aos textos bíblicos, quando Jonas foi engolido pela baleia.

Não é algo muito comum essa convivência mútua entre passado e modernidade. A chegada ao belo aeroporto Ben Gurion e a primeira noite em Tel Aviv, infelizmente tempo curto demais para aproveitar o lado mais ocidentalizado e moderno do país, causam a nítida impressão de que chegamos a um rico país europeu ou mesmo aos Estados Unidos. Mas logo depois chegamos a locais que existem há milênios, impregnados de história, de conflitos religiosos, de tradição, de beleza e, para quem acredita, de coisas sagradas.

Rodando tudo isso com excelentes guias selecionados pela ONG, foi uma verdadeira aula de história em poucos dias, que pareceram algumas semanas, pela grande intensidade. Impossível absorver tanta informação e história em tão pouco tempo.

Foram inúmeras entrevistas com acadêmicos, com pessoas locais, com políticos, religiosos. Gostaria aqui apenas de dar minha visão geral do que vi. Israel é uma nação desenvolvida, quase rica nos padrões europeus, com uma renda per capita acima de US$ 50 mil (a do Brasil é inferior a US$ 10 mil). Mas não é só isso: há pouca miséria, quase não vemos pobreza, e não vemos muita ostentação. Nem mesmo em Tel Aviv encontramos carrões, muito menos carroças. Ou seja, é um país classe média alta, basicamente. E, pelo incrível que pareça, seguro.

Provavelmente pela história de perseguições e sofrimento do povo judeu, assim como seus ensinamentos religiosos de solidariedade, trata-se de um país simples, em que o nosso motorista, por exemplo, um judeu de origem árabe, participou de todas as refeições com nosso grupo de jornalistas, sem qualquer distinção ou cerimônia. O acolhimento nos lugares que visitamos também era da mesma natureza. Temos a sensação de que não há frescuras, tampouco esnobismo ali.

Apesar de todas as guerras que atravessaram em poucas décadas como Estado-nação, os israelenses demonstram grande otimismo em relação ao futuro. São pessoas que lutam para sobreviver e prosperar, via de regra, e demonstram um belo sentimento patriótico. É uma visão e tanto a daqueles jovens todos, meninos e meninas com cerca de dezoito anos, circulando por todo lugar com seus fuzis pendurados, orgulhosos de seu aprendizado militar.

Os israelenses olham as dificuldades como obstáculos a serem superados. Como a falta de água, por exemplo. O gotejamento garante boa agricultura por todo lugar, além de árvores que embelezam o entorno. São tecnologias modernas, como a presente nas três fábricas de dessalinização. Quando a natureza apresenta o desafio, a inventividade humana cria suas alternativas.

Sua democracia é pujante, com a participação de todas as minorias, como a dos próprios árabes, que possuem algo como 10% dos 120 assentos no Knesset, o parlamento israelense. Os debates são abertos, as críticas ao governo são duras. Uma característica visível no israelense é o hábito de ser franco e direto, de falar normalmente o que pensa sem muita cerimônia ou rodeios. Israel, nesse sentido (como em outros), destoa como um oásis democrático e livre no Oriente Médio, região dominada por ditaduras e teocracias.

Os drusos são uma dissidência dos muçulmanos desde o século X, uma comunidade religiosa bastante fechada que vive espalhada basicamente entre Líbano, Israel, Síria, Turquia e Jordânia. Chegam a pouco mais de um milhão no mundo todo, e não são considerados muçulmanos pela maioria dos seguidores do Islã na região.

Falam árabe e preferem viver nas montanhas, pois se julgam mais protegidos nelas. Em Israel, representam quase 2% da população. Visitei uma vila de drusos em minha viagem a Israel, com direito a um simpático guia que ia nos explicando tudo sobre seus hábitos no decorrer das caminhadas. Tive a sorte de encontrar um batalhão de militares do exército de Israel durante uma das visitas, e pude conversar com eles. Também encontrei um druso mais religioso no caminho, com direito a nova conversa.

O mais interessante, creio, é o fato de como estão integrados ao país e se sentem parte dele, inclusive com forte sentimento patriótico, apesar de todas as enormes diferenças no estilo de vida. Há drusos na força policial e, especialmente, entre os militares, dando suas vidas para lutar pela sobrevivência democrática de Israel, uma nação predominantemente judaica.

Seus hábitos religiosos, sua pacata vida no alto das montanhas, suas vilas com discretas casas para rezar, tudo isso bem perto de um estilo de vida bem diferente, com outra religião, mesmo assim parte de uma só nação democrática, que os drusos se mostram orgulhosos em defender com o próprio sangue. Afinal, é a democracia israelense que permite a manutenção pacífica de sua religião por ali.

Foi bonito ver que as diferenças religiosas podem ser deixadas de lado, de forma totalmente pacífica e respeitosa, quando um elo comum os une aos demais, inclusive aos judeus que representam 75% da população de Israel: o patriotismo.

Os drusos israelenses vivem de forma mais isolada, como todos os drusos, mas nem por isso deixam de se integrar quando o assunto é defender sua pátria, liberdade e democracia. E encontram em Israel um país que respeita e protege suas minorias.

Se há algo que percebi claramente nessa viagem a Israel é que seu povo não é lá muito bom de marketing. Em primeiro lugar, pois não aprecia nada o sensacionalismo, a dramaticidade que os latinos conhecem tão bem e exploram como poucos. Em segundo lugar, pois julga que se faz a coisa certa, então não precisa divulgá-la ao mundo. Tal postura não tem ajudado o país nos ataques sistemáticos e pérfidos de que é alvo.

Por exemplo: eu mesmo, que acompanho há algum tempo notícias de Israel e não tenho viés negativo algum sobre o país (ao contrário), nunca tinha ouvido falar no Ziv Medical Center e no trabalho maravilhoso que fazem lá. Simplesmente temos vários médicos, a maioria de judeus, trabalhando arduamente para salvar centenas de vidas... de vítimas da guerra civil na Síria.

Foi um dos momentos mais tocantes dos cinco dias de agenda intensa que tive em Israel. Nosso grupo ficou por mais de uma hora conversando com alguns médicos e visitando o hospital. O Ziv Medical Center fica ao norte de Israel e perto do "mar" da Galileia, e conheci, além de seu belo trabalho em prol das crianças vítimas da guerra civil síria, o simpático dr. Marcelo Daitzchman, brasileiro de Curitiba que vivia há 35 anos em Israel na época.

Fiquei impressionado com tudo que fazem lá. O governo de Israel paga pelo tratamento caro de vítimas da Síria, que encaram os judeus como inimigos. Alguns chegam desacordados, tamanha a gravidade dos ferimentos causados por outros sírios, e quando acordam se dão conta de que estão sendo tratados pelos "inimigos", por aqueles que aprenderam a odiar desde muito cedo.

Um fixador externo colocado pelo dr. Alexander Lerner (1913-2004), um ortopedista renomado que veio da União Soviética, custa caro, e no caso dos pacientes sírios, cinco vezes mais caro. Afinal, os aparelhos costumam ser reutilizados nos pacientes israelenses algumas vezes, enquanto os sírios tendem a voltar ao seu país levando-os junto.

Quando fui filmar uma sala de aula em que professoras árabes ensinam essas crianças, uma delas ficou visivelmente nervosa e pediu para parar a gravação. Disse, quase tremendo, que sua imagem não poderia ser divulgada, pois se soubessem na Síria que ela estava trabalhando em hospital judeu, ainda que para ajudar as crianças sírias, sua vida estaria em perigo.

Assim é a realidade que poucos conhecem: Israel tem hospitais que cuidam com esmero e dedicação de vítimas da guerra civil na Síria, algo desconhecido por praticamente todos, inclusive aqueles que adoram odiar o país "imperialista". Não custa lembrar que até mesmo filhas e esposas dos líderes do Hamas, grupo terrorista que deseja nada menos do que destruir Israel, costumam se tratar em seus hospitais também.

Enquanto o governo brasileiro trata nossos médicos como os judeus eram vistos pelos nazistas, no sentido de vê-los como bodes expiatórios para os males de nossa péssima saúde pública, os médicos judeus estão labutando em prol da vida de vítimas da guerra civil síria, produzida pelos muçulmanos. Como odiar um país e um povo que trabalham para salvar a vida dos seus inimigos, daqueles que desejam destruí-los?

Imagine o que é viver em um lugar que é alvo de até dez mísseis caseiros por dia. Como isso afeta o cotidiano dessas pessoas? Como as crianças podem estudar e se divertir se a qualquer momento escutam uma sirene e precisam correr para algum abrigo? É a vida de uma cidade sitiada, sob constante pânico, em clima de eterna guerra. É a vida dos pouco mais de 20 mil habitantes de Sderot, a cidade israelense que está localizada a menos de 3 quilômetros de Gaza.

Visitei o local, com direito a uma excelente guia que é filha de brasileiros, que falava português. Eugenia Scholnik vive num kibutz, tem viés ideológico de esquerda, odeia o Likud, o partido mais à direita do atual primeiro-ministro Bibi Netanyahu, e alimenta uma visão de mundo que eu chamaria de romântica. Não obstante, mesmo alguém com esse perfil compreende perfeitamente que é preciso reagir, e com firmeza, aos ataques constantes do Hamas.

"Como seria se São Paulo fosse vítima de ataques com mísseis diariamente?", pergunta ela. De fato: gostamos de julgar o conflito no Oriente Médio, especialmente na Faixa de Gaza, com uma ótica distante, inclusive dos fatos. Não nos colocamos no lugar dessa gente humilde – Sderot é uma das cidades mais pobres de Israel – que quer apenas viver em paz, trabalhar, tocar música (é um local conhecido pela musicalidade, e há uma estátua de um baterista conhecido de lá feita com restos de mísseis do Hamas).

A vida se torna insuportável para quem é obrigado a conviver com uma ameaça constante de atos terroristas. É tudo o que o Hamas quer. Seu objetivo é destruir Israel, e para tanto eles valorizam a morte, enquanto o lado israelense luta para sobreviver, valorizando a vida. Trata-se de uma diferença absurda entre quem quer deliberadamente matar inocentes, e quem deseja evitar qualquer morte, inclusive a dos inocentes do lado inimigo.

Da próxima vez que você ler alguma notícia sobre a Faixa de Gaza e aquela emoção automática de tomar o partido do lado "mais fraco" vier com força, tente se colocar na pele desses pobres israelenses, e imaginar como seria viver sob constante ataque terrorista. O Hamas não quer a paz. É um grupo terrorista que simplesmente não aceita a existência de Israel ali. Como reagir a isso? Com flores?

Quando pensamos em judeus e muçulmanos, logo vem à mente a imagem de guerra entre ambos. Mas não precisa ser assim. Dentro do exército de Israel, ambos lutam lado a lado pela defesa de seu país, sua liberdade e democracia. Judeus etíopes, judeus ortodoxos, russos, beduínos, drusos e muçulmanos, todos compondo batalhões para proteger sua mesma nação israelense dos inimigos externos.

Conversei com o tenente-coronel David Ram, argentino que morou no Brasil por sete anos, sobre como ocorre essa interação entre diferentes culturas, qual o elo que os une, como é comandar tropas tão distintas. Fiz perguntas sobre as acusações de uso excessivo de força pelo exército israelense também, e como é lutar com grupos terroristas que não respeitam as regras do jogo.

Com esse tipo de conversa fica bem claro quem valoriza a vida humana nessa guerra, quem adota uma postura moral no combate, quem procura minimizar as perdas de civis de ambos os lados. O exército de Israel é a prova de que é possível ter diferentes culturas e religiões sob um mesmo princípio e um mesmo propósito: defender a democracia e a liberdade.

Há liberdade até para o "socialismo" para quem o desejar. A imagem que vem à mente quando falam nos kibutzes é a de uma comunidade autossubsistente meio hippie vivendo um sonho romântico de igualdade e "liberdade plena". Foi assim no começo, ao menos, e dá para conhecer mais sobre essa utopia no último livro do escritor judeu Amós Oz, com suas reminiscências desse período de sua vida.

Não mais. Os kibutzes mudaram muito. Hoje são como grandes condomínios, ou famílias, que produzem e praticam comércio no mercado, objetivando o lucro. A diferença é como este é dividido. Há os kibutzes socialistas e os capitalistas, da porta para dentro. Para fora, seus membros são como sócios de uma só empresa.

Israel é um país tão interessante e democrático que é perfeitamente possível adotar o socialismo como estilo de vida de forma voluntária. Essas comunidades decidem viver assim, sem impor isso aos demais. Uma nação capitalista com um forte setor de tecnologia e uma economia pujante pode tranquilamente abrigar pequenas sociedades "igualitárias".

Uma dessas fica a 1 quilômetro de Gaza. Conversei com um de seus membros, o brasileiro Herman Richter, diretor na Universidade de Tel Aviv. Com ele podemos aprender bastante sobre a visão mais moderna dos kibutzes, e como é conviver com a constante ameaça do terrorismo.

Com o tempo, mesmo alguém claramente de esquerda como ele passa a demandar uma reação firme do governo. Questionado sobre a "desproporcionalidade" do uso da força na última guerra em Gaza, Richter pergunta se tais críticos ficariam felizes com mais mortes de israelenses, em nome da maior proporção de perdas.

Fala também da posição do governo brasileiro. Ou melhor, tenta falar, pois quase não consegue. É uma decepção visível de quem compreende perfeitamente qual lado valoriza a vida dos inocentes, e qual lado pretende eliminar até crianças de ambos os lados. Já o "anão diplomático" parece não se dar conta disso, não tem clareza moral.

O governo petista brasileiro e, vale notar, inúmeras ONGs e até a ONU. Conversei em Israel com o representante da NGO Monitor, uma entidade que fiscaliza as ONGs internacionais em relação ao antissemitismo. Como Itai Reuveni explica, uma montanha de dinheiro circula nas campanhas contra Israel, parte financiada pelos governos democráticos da Europa, com ou sem conhecimento de seu destino pelos doadores.

Quando os inimigos de Israel perceberam que não seria possível derrotá-lo do ponto de vista militar, decidiram atacar a ideia de Israel. A guerra passou a ser midiática. Como as flotilhas enviadas deliberadamente para causar reação militar, por exemplo, e expor ao mundo a "brutalidade" dos soldados israelenses no trato com "inocentes". Israel seria alvo de uma forte campanha de boicote e isolamento.

Mas não só os países árabes colocam dinheiro em tais campanhas. Como a NGO Monitor demonstra, com fartura de dados, há muito dinheiro de governos europeus e de entidades católicas. Um misto de "judeofobia" com ignorância explica isso. Há o que se chama de *the halo effect*, ou seja, é complicado atacar ONGs de direitos humanos e seus ativistas, pois eles gozam de um salvo-conduto, de uma espécie de monopólio da virtude e das boas intenções.

Muita gente dá dinheiro para essas ONGs acreditando sinceramente em suas ações, sem o menor conhecimento de que servem para boicotar e difamar Israel, um país onde cristãos desfrutam de segurança e paz como nenhum outro na região. Há pouca transparência nessas ONGs, nenhum mecanismo de pesos e contrapesos, de *accountability*, e o caminho fica livre para seus líderes abusarem da inocência de seus financiadores.

Claro, há também aqueles que sabem para onde vai o dinheiro, e mesmo assim doam. Esses alimentam uma "judeofobia" que vai claramente contra os princípios cristãos, sendo que o cristianismo deve muito ao judaísmo. George Soros é um desses que financia ONGs que acabam por atacar Israel, e parece improvável o investidor bilionário não ter noção do que faz.

Não são apenas as ONGs de direitos humanos que endossam essa campanha contra Israel; a própria ONU age assim. E não é de hoje. Na verdade, da forma como são selecionados os países membros, o viés anti-Israel fica evidente.

Quando foi formado o Conselho dos Direitos Humanos da ONU, que sepultou a antiga Comissão de Direitos Humanos, tomada por completo descrédito devido aos membros com péssima reputação, havia entre as 47 nações eleitas para compor o novo conselho ditaduras como Cuba, Arábia Saudita e China, além de países como Paquistão e Rússia, onde os tais "direitos humanos" passaram bem longe. Para piorar, a subsecretária do Conselho de Direitos Humanos da ONU para a mulher é presidida pelo Irã. Resgatar a credibilidade da instituição dessa forma parece um tanto estranho, para dizer o mínimo.

Esse viés contra Israel fica explícito e escancarado quando avaliamos a quantidade de condenações oficiais expedidas pela ONU. Em 2014, Israel foi disparado o principal alvo. Será que o país comete mais abusos aos direitos humanos do que o Sudão, a Líbia, a Síria, a Venezuela ou Cuba? Parece uma piada de mau gosto.

Como não ficar chocado com tamanho viés? Como ainda levar a sério a ONU e as ONGs internacionais de direitos humanos? É uma pena, além de revoltante, pois desqualifica uma ideia louvável, que é lutar pelos direitos humanos universais. Esse ridículo viés mostra que não são aqueles que realmente abusam dos direitos humanos os principais alvos, e, sim, um país democrático, plural e com amplo respeito às minorias como Israel.

E essa campanha difamatória bancada por governos europeus e cristãos do mundo todo, de forma consciente (algo temerário) e inconsciente (a maioria dos casos). Portanto, na véspera de Natal, quando é comemorado o nascimento de um judeu que se tornou o centro do cristianismo, seria bom perguntar para onde sua caridade vai: para lutar efetivamente pela paz, ou para disseminar o ódio aos judeus?

O povo judeu é conhecido por seus sacrifícios e a superação de todo tipo de obstáculo. As terras que compõem hoje o Estado de Israel já foram descritas por Mark Twain e outros visitantes como um grande pedaço de deserto árido. De fato, o deserto do Negev ocupa um razoável espaço no pequeno território de Israel, e basta circular por lá para perceber como é um ambiente inóspito e seco. Não obstante, há, hoje, algo como 240 milhões de árvores no país, a maioria plantada uma a uma, e Israel é produtor e até exportador de frutas.

Tem, ainda, grande produção de peixes. O israelense, num deserto, consome bastante peixe, enquanto o cubano, numa ilha, não tem acesso a tal alimento, sabemos o motivo (a ditadura não permite a pesca com receio de mais fugas para a Flórida). Como pode? Como Israel conseguiu driblar a escassez de água e dar a volta por cima?

Boa parte da resposta se encontra na cultura, na postura dos israelenses. Em *Startup Nation* ["Nação Startup", em tradução livre], os autores Dan Senor (1971-) e Saul Singer (1961-) tentam explicar justamente este fenômeno, o "milagre" econômico de Israel, um país que possui um setor dinâmico de tecnologia, um dos mais avançados do mundo, além desse incrível destaque na agricultura em um país geograficamente hostil a tal setor.

Para focar apenas no aspecto da água, de forma bem resumida, eis a resposta de Israel, além de muita determinação e desejo de superação: tecnologia. Enquanto muitos olham para os obstáculos e desanimam, ou observam os céus em busca de respostas, os israelenses foram lá e criaram as tecnologias que revolucionaram sua economia.

Apenas 20% da terra de Israel é arável. Mesmo assim, isso não impediu o florescimento da agricultura no país, basicamente por meio dos kibutzes, adaptados atualmente ao mundo globalizado. Israel fatura mais de US$ 50 milhões por ano com a exportação de flores. Água é a matéria-prima da agricultura, e se estima que até 70% do consumo mundial vem desse setor. Israel tinha tudo para não ter agricultura alguma, mas superou o obstáculo natural com o uso de tecnologia.

É o país líder em reciclar água usada, por exemplo: mais de 70% são reciclados, o que representa o triplo do percentual reciclado na Espanha, o país na segunda colocação. Israel é líder ainda em agricultura no deserto, irrigação por gotejamento e dessalinização. Das quatro grandes plantas industriais de dessalinização no mundo, nada menos do que três estão em Israel. Aqui é possível conhecer melhor o "milagre" que a tecnologia de gotejamento, descoberta pelo engenheiro israelense Simcha Blass, faz até hoje na agricultura mundial, inclusive no Brasil.

Em resumo, é legítimo o governo fazer campanha pela moderação no uso da água em época de estiagem fora dos padrões históricos. São Pedro teria sua parcela de culpa. Mas, deixando de lado a responsabilidade dos governos na má administração do problema, na ocultação da verdade para fins eleitoreiros, e nas medidas tomadas que geraram distorções no mecanismo de incentivos do uso do bem escasso, o fato é que a solução para o "problema da água" está na tecnologia, não na "dança da chuva". Israel é o melhor exemplo de que, mesmo num deserto, o homem é capaz de inovar e driblar os obstáculos impostos pela natureza. Uma questão de atitude.

Em suma, não resta dúvida de que os israelenses ergueram em meio a uma região complicada um pequeno pedaço de civilização mais avançada, próspera e livre. E, além disso, criaram finalmente um lar para o povo judeu, perseguido desde os tempos imemoriais. Como disse, reuni amplo material de entrevistas e publiquei vários vídeos no YouTube. Mas eis o resumo dessa primeira impressão: Israel é um pequeno grande país que merece nosso respeito, apoio e admiração.

EU QUERO É PAZ!

Os demônios gostam de se disfarçar, e o melhor disfarce é sempre o de pacifista. Há alguns anos, tive o prazer de ver uma palestra da ex-deputada espanhola Pilar Rahola (1958-) aqui no Brasil, organizada pela comunidade judaica. À época, havia graves problemas no Oriente Médio (quando não houve?), e a esquerda mundial detonava Israel. Soa familiar?

Escrevi um texto que não poderia ser mais atual. Mudam-se alguns personagens, enterram-se alguns tiranetes, mas a essência da ópera bufa continua a mesma. Segue, portanto, o artigo, pois uma vez mais percebemos o ataque coordenado a Israel partindo de uma esquerda hipócrita e que de "pacifista" não tem absolutamente nada:

> *Tudo que é necessário para o triunfo do mal*
> *é que as pessoas de bem nada façam.*
>
> Edmund Burke

Em 1949, o cartaz para o Congresso Mundial da Paz em Paris foi impresso com uma litografia de Picasso, que eternizou a pomba como símbolo da paz. Os patrocinadores do evento, paradoxalmente, eram os assassinos de Moscou. Os objetivos dos comunistas eram basicamente dois: poderiam dispersar a atenção mundial de Moscou e das atrocidades lá cometidas por Stalin; e forçariam uma associação simplista entre comunismo e luta pela paz. Enquanto ingênuos bem-intencionados levantavam cartazes pedindo paz, seus financiadores executavam milhões de inocentes atrás da Cortina de Ferro.

Desde então, os comunistas, sempre mais preocupados com a propaganda ideológica do que com os seres humanos, organizam passeatas em nome da paz quando surge uma oportunidade para atacar democracias liberais. No caso recente da guerra em Gaza, o PT não perdeu tempo e logo fez uma declaração de repúdio ao "terrorismo de Estado" israelense, enquanto não existem documentos do partido fazendo uma única crítica ao verdadeiro terrorismo do Hamas. O tiranete Hugo Chávez chegou a expulsar o embaixador de Israel da Venezuela. E o PSTU organizou manifestações onde bandeiras dos Estados Unidos e Israel foram queimadas por indivíduos vestindo camisetas com a foto do assassino Che Guevara (1928-1967) estampada.

A jornalista espanhola Pilar Rahola escreveu um artigo em defesa de Israel em que perguntas inconvenientes são feitas. Apesar de não ser judia e ser de esquerda, Rahola questiona por que as manifestações "pela paz" nunca condenam ditaduras islâmicas. Ela pergunta também por que a submissão feminina no Islã nunca é alvo de manifestações no Ocidente. Ela quer saber por que essas manifestações "pacifistas" nunca têm como alvo o uso de crianças palestinas como escudos humanos ou bombas.

Por fim, ela deseja saber onde estavam esses "pacifistas" quando a ditadura islâmica exterminava milhares de vítimas no Sudão. Pilar deixa no ar a sua "pergunta do milhão": por que a esquerda europeia, e globalmente toda a esquerda, está obcecada somente em lutar contra as democracias mais sólidas do planeta, Estados Unidos e Israel, e não contra as piores ditaduras? O silêncio diante dessa questão é uma confissão de hipocrisia da esquerda mundial.

Os "pacifistas" costumam sempre pregar a saída diplomática para os problemas geopolíticos. Vestidos com a causa pacifista, os comunistas franceses exortaram os trabalhadores das fábricas de armamento a sabotarem seu trabalho e pressionaram os soldados a desertarem, quando os exércitos nazistas estavam a poucas semanas de ocupar Paris. Quando o inimigo despreza a razão e luta por uma causa fanática, a diplomacia é totalmente ineficaz.

Conversar com Bin Laden, Hitler, Stalin ou Ahmadinejad não rende bons frutos. Com terroristas não se negocia, é o lema da polícia americana. Mas os "pacifistas" não querem debater os meios mais eficazes para manter a paz. Eles desejam apenas monopolizar o fim, ou seja, posar de únicos defensores verdadeiros da paz.

Muitos "pacifistas" usam Gandhi (1869-1948) como suposta prova de que a reação pacífica pode ser o caminho certo. Ignoram que do outro lado estava a Inglaterra, com uma população mais esclarecida e sujeita aos apelos populares. Fosse um Hitler ou Stalin, Gandhi seria apenas mais um mártir morto sem bons resultados. Para quem duvida, basta ver o destino do

Tibete. Os monges que seguem o Dalai Lama não passam de escravos da ditadura comunista chinesa.

Gandhi teria alertado: "Olho por olho e a humanidade acabará cega". Creio que faltou mencionar algo alternativo: "Olho por nada e uma parte da humanidade acabará cega; a parte inocente". Como bem colocou George Orwell (1903-1950), o jeito mais fácil de acabar com uma guerra é perdê-la.

Não quero ser mal compreendido. Odeio violência com todas as minhas forças. Acho que seu uso é um último recurso, após o fracasso de todas as alternativas. Porém, não vou sucumbir ao mundo das fantasias, dissociado da realidade. Em certas ocasiões, lidando com certas pessoas, não existe outra opção que não a reação dura ou mesmo violenta. Ninguém vai oferecer rosas para um estuprador na iminência de um estupro. Não é razoável achar que há chance de diálogo com quem mata crianças deliberadamente em nome de sua causa.

Chega a ser infantil afirmar que a educação sozinha faria um animal que pratica genocídio virar um bom samaritano. O mundo real não é tão belo. Frutos podres existem e as causas são variadas. Quem não ataca as consequências dos atos bárbaros desses indivíduos está pedindo para viver num mundo caótico, sob o domínio do mal. Por mais chocante que isso possa parecer, talvez seja exatamente o que muitos "pacifistas" desejam. Não passam de misantropos disfarçados.

Finalizo com o alerta sábio de Schopenhauer (1788-1860): "Quem espera que o diabo ande pelo mundo com chifres será sempre sua presa".

CESSEM O "CESSAR-FOGO", DIZ THOMAS SOWELL SOBRE O ORIENTE MÉDIO

A complacência de hoje é paga com a angústia de amanhã.
E se ela persiste, com o sangue de depois de amanhã.

Suzanne Labin

Talvez uma das maiores diferenças entre um liberal e um esquerdista com boas intenções seja seu horizonte. O segundo tende a adotar uma visão mais míope do problema, mais "curto-prazista", imediata, enquanto o primeiro procura enxergar mais longe, os efeitos da medida no tempo. Por isso Bastiat (1801-1850), um grande liberal, chamou a atenção para aquilo que se vê agora e aquilo que não se vê, ou seja, o que demanda reflexões mais profundas e lógicas.

Por exemplo: há gente com fome no mundo. O esquerdista bem-intencionado olha isso, depois vê gente com abundância de recursos e alimentos, e conclui que é necessário tirar de uns para dar aos outros. Foca no curtíssimo prazo. Age como uma espécie de Maquiavel (1469-1527) às avessas: para salvar dez hoje, condena mil à inanição amanhã. Não observa tanto o funcionamento do processo ao longo do tempo, e, sim, o resultado imediato de suas ações "bondosas". Dá o peixe, mas não ensina a pescar.

Aplicando esse raciocínio à questão do Oriente Médio, Thomas Sowell, outro grande liberal contemporâneo, concluiu durante o conflito de 2014 que estávamos diante de um caso típico de *moral hazard*. Ou seja, no afã de evitar qualquer desgraça ou catástrofe imediata, adotamos medidas que acabam estimulando desgraças maiores à frente. Incentivamos terroristas, pois sabem que o custo de suas práticas nefastas será limitado. Diz o pensador (em tradução livre):

> "Cessar-fogo" e "negociações" são palavras mágicas para "a comunidade internacional". Mas o que exatamente os cessar-fogos produzem? No curto prazo, eles salvam algumas vidas. Mas, em longo prazo, eles custam muito mais vidas, por meio da redução do custo de agressão. Houve um tempo em que lançar um ataque militar contra outra nação não só arriscava uma retaliação, mas uma aniquilação. Quando Cartago atacou Roma, isso foi o fim de Cartago.
>
> Mas quando o Hamas ou algum outro grupo terrorista lança um ataque contra Israel, eles sabem de antemão que o que Israel fizer em resposta será limitado por apelos para um cessar-fogo, apoiados por pressões políticas e econômicas dos Estados Unidos. Não é de todo claro o que os críticos de Israel esperam racionalmente que os israelenses façam quando são atacados. Sofram em silêncio? Rendam-se? Fujam do Oriente Médio?

Sim, parece que essa é uma alternativa que agradaria a boa parte da esquerda. Os israelenses deveriam simplesmente abandonar a região, desistir de ter um estado, uma nação, fugir. Porque realmente faltam sugestões realistas por parte de quem adota o ódio a Israel como o passatempo predileto nos dias de hoje. Não pensam no longo prazo: o que significa contemporizar com terroristas que desejam nada menos do que sua destruição?

João Pereira Coutinho, colunista da *Folha de S.Paulo*, disse na época não mais acreditar na solução de dois Estados, e em parte justamente por essa negligência passada com os terroristas. Questionado pelo jornalista Morris Kachani sobre o motivo da radicalização à direita do governo israelense, Coutinho disse que a retirada unilateral de Gaza em 2005, apoiada pelos trabalhistas, aumentou a instabilidade na região e a insegurança em Israel, o que levou ao descrédito do partido.

Sobre o atual conflito, o escritor disse que uma coisa era negociar com a Autoridade Palestina questões concretas como fronteiras, outra, impossível, negociar com militantes que pregam a destruição de Israel e cujo programa tem como um dos alicerces *Os Protocolos dos Sábios de Sião*.

Em resumo, muitas vezes a "saída" menos dolorosa de hoje pode representar a nossa morte amanhã. "Para o triunfo do mal, basta que as pessoas de bem nada façam", alertou Edmund Burke (1729-1797). Os liberais compreendem isso. A esquerda, de olho apenas no "aqui e agora", não.

OI, GUGA

Claro que um livro sobre o Oriente Médio não poderia deixar de fora as análises de Guga Chacra (1976-), o grande especialista da Globo no assunto. Guga entrevistou vários personagens importantes, escreveu inúmeras colunas e menciona vários dados de cabeça. Parece, enfim, ser um profundo conhecedor do assunto. Só há um problema: suas análises são infantiloides e com viés esquerdista, que ele nega.

Participei de um debate na comunidade judaica com a presença de Guga Chacra, Diogo Mainardi (1962-) e Caio Blinder, anos atrás, e ficou claro para mim como os três adotam postura perigosa para Israel, mesmo quando não se mostram hostis abertamente ao país. Nas redes sociais, meus embates com Guga ficaram conhecidos e o "Oi, Guga" se tornou famoso. O especialista da Globo passou a ser ridicularizado por suas previsões enfadonhas, como a de que a substituição de Trump por Biden traria tranquilidade ao mundo, pois Trump era "malvado".

Pois bem. Em sua coluna em *O Globo* em maio de 2018, Guga Chacra mostrou como os "progressistas" vivem numa bolha infantil, onde tudo parece se resolver com uma boa conversa num chá das cinco civilizado. São como a personagem de Jodie Foster em *Deus da Carnificina*, de Polanski, que acreditava no conto de fadas confundindo a minúscula vizinhança perto do Central Park em Nova York com o mundo todo. Precisou ser enquadrada pelo pai do garoto que brigou com seu filho, personagem de Christoph Waltz.

Voltando ao texto de Guga, reparem como ele confunde seus companheiros da Columbia University com os habitantes do Oriente Médio:

> Não há certo ou errado no conflito entre Israel e Palestina. Tampouco existe ser "pró-Israel" ou "pró-Palestina". Pode ser os dois. A maior parte das duas populações quer viver em paz e segurança e ter uma vida normal. Um soldado israelense talvez fosse amigo de um palestino do outro lado da cerca na Faixa de Gaza caso os dois se conhecessem em uma universidade nos EUA.
>
> Falo porque tive amigos israelenses e palestinos que se davam superbem quando estudei na Columbia University em Nova York. Discordavam, tinham suas narrativas, mas em campo neutro percebiam que tinham muito em comum. Em discurso hoje na formatura da New York University, o premier canadense, Justin Trudeau (1971-), corretamente afirmou que as pessoas vivem dentro de suas "tribos" (ou bolhas), nas quais todos compartilham seus pensamentos, em vez de tentar dialogar com quem discorda.

Guga começa já equivocado, ao invocar seu relativismo moral como se não houvesse certo ou errado num conflito em que um lado usa suas crianças como escudo humano e tenta alvejar as crianças do inimigo, enquanto o outro lado tenta proteger suas crianças e chora quando acerta, por engano ou falta de opção, as crianças do lado adversário. Como assim não há certo ou errado aqui? Israel é uma democracia, o Hamas é um grupo terrorista.

Mas o ponto central é a ilusão do colunista ao mencionar seus colegas universitários, que discordavam de forma mais civilizada. Citar Trudeau, o ícone dos "progressistas", chega a ser irônico, ainda mais para falar das bolhas tribais. Guga não é capaz de perceber que ele mesmo está aprisionado numa dessas bolhas, em contato apenas com gente "limpinha", com as elites "esclarecidas" dos dois lados, não com o povo.

Não é por acaso que foi o mesmo Guga quem disse que Trump não tinha a menor chance de vencer as eleições, dando como evidência o fato de que não conhecia ninguém que votaria nele. Tomar seu próprio mundinho fechado como amostra representativa do universo todo é mesmo o cúmulo, ainda mais para um jornalista. Guga só circula nos meios "progressistas", mora em Nova York, trabalha na GloboNews, lê NYT e vê CNN. Seu mundo é limitado a quem já pensa como ele, quem é de esquerda.

Claro que ia sobrar para Netanyahu e Trump no artigo, portanto: "Netanyahu nunca foi um homem da paz e pouco se importa com os palestinos. Abbas não tem legitimidade após declarações antissemitas. O Hamas, por sua vez, usa táticas terroristas. Trump, ao adotar a agenda de Netanyahu, abandonou qualquer possibilidade de ser um mediador neutro para o conflito. Israelenses e palestinos apenas terão chance de voltar a sonhar com a paz quando uma outra geração de líderes surgir e estes tenham empatia pelo adversário, como Rabin teve".

O que Guga chama de "mediador neutro" tem que ser alguém que se mostra indiferente ou equidistante entre Hamas e o primeiro-ministro democraticamente eleito de Israel? Será que Guga não percebe que o convívio pacífico e civilizado entre israelenses e palestinos já existe, e não só em Columbia, mas no próprio Oriente Médio, mas apenas dentro de Israel? Se um palestino entrar legalmente em Israel, poderá conversar com judeus. O que acontece se judeus entrarem na Faixa de Gaza do lado palestino, dominado pelo Hamas?

Pois é. Essa "equivalência moral" é típica de quem quer posar de "isentão" e ganhar elogios das elites palestina e israelense, provando como é esclarecido, tolerante e pacifista. Mas no mundo real não são essas pessoas que garantem alguma paz possível no mundo, um lugar em que fanáticos e terroristas existem, infelizmente. E não é chamando um fanático ou um terrorista para uma conversa na cafeteria da universidade que esse problema será evitado...

Guga é um ícone perfeito desse fenômeno cosmopolita "progressista" que separa cada vez mais elite de povo. O abismo crescente entre elite "progressista" e povão é um fenômeno marcante da era moderna e tem enormes repercussões políticas e sociais. Os "cidadãos do mundo", cosmopolitas, seculares, desapegados e sem laços patrióticos, olham com desdém e desprezo para o povão, a turma do interior e subúrbios, tida como reacionária, ultrapassada, preconceituosa e fascista.

Vários livros tentam explicar o fenômeno. *Coming Apart: The State of White America, 1960-2010* ["Desmoronando: O Estado da América Branca", 1960-2010, em tradução livre], de Charles Murray (1941-), é um dos melhores, mas há muitos outros e o tema tem ganhado maior atenção após as vitórias de Trump, Bolsonaro e do Brexit. Mas a elite se recusa e compreender o que está em jogo, não quer enxergar como sua visão de mundo, cada vez mais radical à esquerda, não conversa com os cidadãos comuns. O mundo de Davos prefere chamar de "deploráveis" aqueles que se recusam a aderir a tal cartilha.

É o caso de Guga Chacra. Estudou em Columbia, dominada pelo pensamento "progressista", mora em Nova York, o estado mais cosmopolita e "liberal" dos Estados Unidos, ao lado da Califórnia, e trabalha para a Globo, emissora com claro viés "progressista". Guga chegou a duvidar da vitória de Trump, pois não conhecia ninguém que votaria nele ignorando que vive numa bolha, aquela dos leitores do NYT e telespectadores da CNN.

Em uma coluna sua de julho de 2020, ele lamenta que as metrópoles mais "liberais" sejam obrigadas a conviver com governos populistas de "extrema direita", vitoriosos graças aos "atrasados" do interior, aos "preconceituosos" de todo tipo, "xenófobos" e "racistas". Para Guga, Trump é de extrema direita e Obama é um liberal.

Guga usou como gancho a vitória de Andrzej Duda (1972-), reeleito presidente da Polônia. Para Guga, ele foi eleito "com uma agenda homofóbica, xenófoba e antissemita", e teve menos de um terço dos votos em Varsóvia. Netanyahu, que governa Israel há cinco mandatos, um recorde, também é retratado como líder da "extrema direita" eleito a despeito de Tel Aviv e Haifa, mais avançadas.

Não obstante o fato de Guga usar liberal sem aspas, ignorando que o termo a que se refere foi usurpado pela esquerda cada vez mais radical, seu texto exala preconceito do começo ao fim, mas ele sequer é capaz de perceber. Para gente como Guga, o povo é ignorante e atrasado, essa gente "religiosa", apegada aos laços patrióticos, com horror às pautas "avançadas" como a ideologia de gênero.

Alguém como Guga não tem a menor condição de compreender a aversão de muitos à postura da Globo. Ele só pode suportar a forte reação popular por meio da narrativa de que se trata de um ato de bárbaros fanáticos e extremistas. É mais fácil do que buscar uma reflexão sincera sobre os claros excessos "progressistas" dessa elite cosmopolita, que cospe em todos os legados tradicionais e faz campanha contra todo líder mais conservador, tratado como populista de "extrema direita".

É por essas e outras que Guga Chacra, um sujeito que parece até bacana, torna-se um ícone desse pensamento arrogante e preconceituoso, que acusa todos os outros de preconceituosos e atrasados. A ponto de Guga considerar um "gênio" um boboca como Felipe Neto (1988-).

Para a patota de Guga, Felipe Neto é mesmo um grande comunicador e alguém que deve ser levado a sério no debate político, pois sua mensagem vai ao encontro do que deseja essa elite, que é detonar os "populistas de extrema direita como Trump e Bolsonaro. Já para o povão, aqueles "reacionários" pela ótica dos cosmopolitas, Felipe Neto é apenas um idiota que fez fama e dinheiro com baixarias, explorando o público infantil de maneira indecente e execrável.

CONCLUSÃO

Como espero ter deixado claro, a judeofobia é um fenômeno complexo, que vem de longa data, mas que aumenta sempre que o mundo vive uma doença moral em estágio avançado. O judeu se torna o ícone de todo mal, o bode expiatório a ser eliminado para que o mundo possa voltar a respirar aliviado. Se ao menos o judeu sumisse do mapa, tudo seria maravilhoso, o mundo todo viveria em paz, os muçulmanos se abraçariam cantando *Imagine* e os palestinos seriam prósperos e felizes...

Tudo isso é ridículo, para dizer o mínimo. Mas é uma visão ingênua e romântica deveras perigosa, como a história nos mostrou. A perseguição que começa tendo judeus como alvos acaba se alastrando, os xingamentos se transformam em agressões, o preconceito é alimentado até o ponto de justificar a matança indiscriminada de inocentes. "Nunca mais", disseram, mas sem o alerta constante das pessoas de bem, fica claro que a tragédia pode se repetir sim, infelizmente. A barbárie está sempre à espreita, pronta para tomar a civilização de assalto.

Quando centenas de israelenses sofreram um ataque covarde do Hamas em outubro de 2023, e quando a reação de muita gente foi condenar Israel e o povo judeu, ou seja, as vítimas, senti-me obrigado a reunir todo o material que tinha sobre o assunto do antissemitismo e escrever este livro. Foi a forma que encontrei de prestar minha homenagem a esse povo resiliente acostumado a superar perseguições injustas há milênios. Foi a maneira que vi de fornecer munição ao lado certo da história nessa guerra de vida ou morte, com selvagens – às vezes com ternos ou até togas – que cultuam a morte.

A civilização ocidental não é perfeita. Mas ela foi a que mais avançou rumo à preservação de direitos e garantias a todos os seres humanos. Foi a que acumulou o maior estoque de conhecimento. Foi a que mais prosperou. E nada disso foi por acaso, por acidente. Foi fruto de uma série de valores e princípios adotados ao longo do tempo, graças justamente ao seu fundamento judaico-cristão. É isso que está sob ataque agora. É isso que é ameaçado quando Israel é ameaçado. É isso que está em jogo quando bárbaros miram em judeus e justificam sua matança com base em teorias da conspiração ou pretextos absurdos.

Israel precisa reagir. Israel precisa vencer. Essa guerra não é apenas de Israel. É de todo o Ocidente. É de todo indivíduo com senso moral e respeito pela justiça. Não sou judeu, mas isso não me impede de enxergar com clareza moral o que está em disputa. É por isso que todos deveriam se unir e gritar: *Am Yisrael Chai!*

Acompanhe a LVM Editora

◉ @lvmeditora

Acesse: www.clubeludovico.com.br

◉ @clubeludovico

Esta edição foi preparada pela LVM Editora e por Décio Lopes,
com tipografia Baskerville e Acumin Pro ExtraCondensed,
em janeiro de 2024.